ALEXANDRE DUMAS
(1802-1870)

O célebre escritor nasceu Dumas Davy de la Pailleterie em 24 de julho de 1802, em Villers-Cotterêts, região de Aisne. Era filho do general Dumas, grande figura militar de sua época que serviu nas guerras napoleônicas.

Dumas começou a carreira escrevendo artigos para revistas e textos teatrais. Em 1829 foi produzida sua primeira peça, *Henrique III e sua corte*, alcançando sucesso de público. Após escrever mais alguns espetáculos bem-sucedidos, passou a se dedicar aos romances.

Em 1840, se casou com a atriz Ida Ferrier, mas manteve seus casos com outras mulheres, sendo pai de pelo menos três filhos fora do casamento. Um deles (Alexandre Dumas, autor de *A dama das camélias,* Coleção **L&PM** POCKET) recebeu o seu nome e seguiu os passos do pai na carreira de escritor.

Alexandre Dumas escreveu romances e crônicas históricas de muita aventura. Entre seus trabalhos destacam-se *Os três Mosqueteiros* (1844); *O quebra-nozes* (1844); *Vinte anos depois* (1845); *Rainha Margot* (1845); *O conde de Monte Cristo* (1845-1846); *Visconde de Bragelonne* (1847), do qual faz parte *O homem com a máscara de ferro*; *A tulipa negra* (1850) e *O colar de veludo* (1850).

Apesar do sucesso e das conexões aristocráticas de Dumas, sua vida sempre foi marcada pelo fato de ser mulato. Em 1843, escreveu uma curta novela intitulada *Georges*, que chamava atenção para alguns aspectos raciais e para os efeitos do colonialismo.

Dumas morreu em Paris, em 5 de dezembro de 1870. Sepultado no local onde nasceu, seus restos mortais perma-neceram no cemitério de Villers-Cotterêts [illegible] do foram exumados e trans[illegible] o Panteão de Paris, o [illegible] e escritores da França es[illegible]

Livros do autor na Coleção **L&PM** POCKET:

O colar de veludo
Memórias de Garibaldi

Alexandre Dumas

O colar de veludo

Tradução de Marina Appenzeller

www.lpm.com.br
L&PM POCKET

Coleção **L&PM** POCKET, vol. 49

Primeira edição na Coleção **L&PM** POCKET: julho de 1997
Esta reimpressão: julho de 2010

Título original: *La femme au collier de velours*

Capa: Ivan G. Pinheiro Machado sobre detalhe da obra de Léon François Comerre *Pluie d'or* (Petit Palais, museu de Belas Artes, Paris).
Tradução: Marina Appenzeller
Revisão: Cintia Moscovich e Delza Menin

ISBN 978-85-254-0685-9

D886c Dumas, Alexandre, 1802-1870.
O colar de veludo / Alexandre Dumas; tradução de Marina Appenzeller. – Porto Alegre: L&PM, 2010.
208 p. ; 18 cm. – (Coleção L&PM POCKET)

1.Ficção francesa-Romances. I.Título. II.Série.

CDD 843
CDU 840-3

Catalogação elaborada por Izabel A. Merlo

Rua Comendador Coruja 314, loja 9 – Floresta – 90220-180
Porto Alegre – RS – Brasil / Fone: 51.3225.5777 – Fax: 51.3221-5380

PEDIDOS & DEPTO. COMERCIAL: vendas@lpm.com.br
FALE CONOSCO: info@lpm.com.br
www.lpm.com.br

Impresso no Brasil
Inverno de 2010

1
A família de Hoffmann

Entre as encantadoras cidades disseminadas ao longo do vale do Reno como contas de um rosário cujo filete seria o rio, deve-se mencionar Mannheim, a segunda capital do grão-ducado de Bade, Mannheim, a residência secundária do grão-duque.

Hoje que os barcos a vapor que sobem e descem o Reno passam por Mannheim, hoje que uma estrada de ferro conduz a Mannheim, hoje que Mannheim, em meio ao crepitar dos fuzis brandiu, os cabelos soltos e a túnica tingida de sangue, o estandarte da rebelião contra seu grão-duque, não sei mais o que Mannheim é: porém, na época em que se inicia esta história, isto é, há quase cinqüenta e seis anos, direi a vocês o que era.

Era a cidade alemã por excelência, ao mesmo tempo calma e política, um pouco triste, ou melhor, um pouco sonhadora: era a cidade dos romances de Auguste Lafontaine e dos poemas de Goethe, de Henriette Belmann e de Werther.

De fato, basta passar os olhos por Mannheim para se ter uma idéia instantânea, vendo suas casas honestamente alinhadas, sua divisão em quatro bairros, suas ruas largas e belas onde a relva desponta, sua fonte mitológica, seu passeio sombreado por uma dupla fileira de acácias que a atravessa de uma ponta a outra: para se ter uma idéia, como estava dizendo, de como a vida seria suave e fácil em semelhante paraíso se às vezes as paixões do amor ou da política não colocassem uma pistola na mão de Werther ou um punhal na mão de Sand.

Nela existe sobretudo uma praça de caráter bem particular, a praça onde se erguem ao mesmo tempo a igreja e o teatro.

Igreja e teatro devem ter sido construídos ao mesmo tempo, provavelmente pelo mesmo arquiteto; provavelmente, ainda, por volta de meados do outro século, quando os caprichos de uma favorita influenciavam a arte a ponto de todo um lado da arte conquistar seu nome, desde a igreja até a casinha, desde a estátua de bronze de dez côvados até a miniatura de porcelana de Saxe.

A igreja e o teatro de Mannheim, portanto, são no estilo Pompadour.

A igreja tem dois nichos em sua parte externa: em um desses nichos está uma Minerva, no outro uma Hebe.

A porta do teatro é encimada por duas esfinges. Uma delas representa a Comédia, a outra, a Tragédia.

A primeira dessas duas esfinges segura uma máscara sob a pata, a segunda um punhal. Na cabeça de ambas há uma peruca empoada, o que é um acréscimo maravilhoso a seu caráter egípcio.

De resto, toda a praça, casas cercadas, árvores frisadas, muralhas enfeitadas de festões, seguem o mesmo estilo, formando um conjunto dos mais alegres.

Muito bem! É para um quarto situado no primeiro andar de uma casa cujas janelas dão obliquamente para o portal da igreja dos jesuítas que vamos conduzir nossos leitores, observando-lhes apenas que os estamos rejuvenescendo em mais de meio século e que estamos, em termos de cronologia, no ano da graça ou da desgraça de 1793 e, quanto ao dia mais preciso, no domingo 10 de maio. Tudo então está florescendo: as algas à beira do rio, as margaridas no prado, o espinheiro-alvar na sebe, a rosa nos jardins, o amor nos corações.

Agora, acrescentemos o seguinte: que um dos corações que batia de forma violenta na cidade de Mannheim e nos arredores era o de um jovem que morava naquele quartinho que acabamos de mencionar e cujas janelas davam obliquamente para o portal da igreja dos jesuítas.

Quarto e jovem merecem, cada qual, uma descrição particular.

O quarto com certeza era o de um espírito ao mesmo tempo caprichoso e pitoresco, pois tinha simultaneamente o aspecto de um ateliê, de uma loja de música e de um gabinete de trabalho.

Nele havia uma paleta, pincéis e um cavalete e, nesse cavalete, um esboço começado.

Nele havia uma guitarra, uma viola de amor e um piano e, no piano, uma sonata aberta.

Nele havia uma pena, tinta e papel e, nesse papel, um início de balada rabiscada.

Além disso, ao longo das paredes, arcos, flechas, arbaletas do século XV, instrumentos de música do século XVII, arcas de todos os tempos, jarras de bebida de todas as formas, bacias de todas as espécies e, finalmente, colares de vidro, leques de plumas, lagartos empalhados, flores secas, enfim, todo um mundo; mas todo um mundo que não valia nem vinte e cinco táleres.

Quem habitava o quarto era um pintor, um músico ou um poeta? Não sabemos.

Mas com certeza era fumante, pois, no meio de todas essas coleções, a mais completa, a mais à vista, a que ocupava o lugar de honra e desabrochava ao sol sobre um velho canapé, ao alcance da mão, era uma coleção de cachimbos.

Mas, seja lá o que o jovem fosse, poeta, músico, pintor ou fumante, naquele momento, não estava nem fumando, nem pintando, nem escrevendo, nem compondo.

Contemplava.

Contemplava, imóvel, de pé, encostado na parede, prendendo a respiração; contemplava pela janela aberta, após ter transformado a cortina em fortaleza, para ver sem ser visto; contemplava como se contempla quando os olhos não são mais do que a luneta do coração!

O que contemplava?

Um local completamente vazio naquele momento, o portal da igreja dos jesuítas.

A verdade é que o portal permanecia vazio naquele momento porque a igreja estava cheia.

Agora, que aparência tinha o jovem que morava naquele quarto, que aparência tinha o jovem que olhava escondido atrás das cortinas, o jovem cujo coração batia daquela maneira enquanto contemplava?

Era um rapaz de dezoito anos no máximo, nada alto, miúdo de corpo, de aspecto selvagem. Seus longos cabelos negros caíam-lhe da testa até debaixo dos olhos, que eram por eles velados quando ele não os afastava com a mão e, através do véu da cabeleira, seu olhar brilhava fixo e feroz, como o olhar de um homem cujas faculdades mentais nem sempre estão em equilíbrio perfeito.

Esse jovem não era nem poeta, nem pintor, nem músico: era um conjunto dos três ofícios; era a pintura, a música e a poesia reunidas; formava um todo estranho, fantasioso, bom e mau, corajoso e tímido, ativo e preguiçoso; esse jovem, enfim, era Ernst-Theodor-Wilhelm Hoffmann.

Nascera em uma noite de inverno rigorosa em 1776 enquanto o vento soprava, a neve caía, enquanto todos os que não eram ricos sofriam: nasceu em Koenigsberg, no fundo da velha Prússia; nasceu tão fraco, tão frágil, de constituição tão miserável, que a exigüidade de sua pessoa fez com que todos acreditassem que era bem mais urgente encomendar-lhe um túmulo do que lhe comprar um berço; nasceu no mesmo ano em que *Schiller*, ao escrever seu drama dos *Bandidos*, assinou *Schiller, escravo de Klopstock*; nasceu no seio de uma daquelas velhas famílias burguesas como tínhamos na França na época da Fronda, como ainda há na Alemanha, mas como logo não mais existirá em parte alguma; nasceu de uma mãe de temperamento doentio, mas profundamente resignada, o que conferia a toda a sua pessoa enfermiça o aspecto de uma melancolia adorável; nasceu de um pai de atitudes e espírito severos, pois este pai era conselheiro criminal e comissário de justiça junto ao tribunal superior da província. Em torno dessa mãe e desse pai, havia tios juízes, tios bailios, tios burgomestres, tias ainda jovens, ainda belas, ainda coquetes; tios e tias, todos músicos, todos artistas, todos cheios de vida, todos alegres. Hoffmann dizia tê-los visto; lembrava dos parentes executando em torno dele, criança de seis, de oito, de dez anos, concertos estranhos onde cada qual tocava um daqueles velhos instrumentos dos quais hoje nem mesmo sabemos mais os nomes: tímpanos, rabecas, cítaras, cistres, violas de amor, violas de gamba. É verdade que ninguém além de Hoffmann jamais vira aqueles tios músicos, aquelas tias musicistas e que os tios e as tias haviam se retirado, uns após os outros, como espectros, depois de terem apagado, ao se retirar, a luz que ardia em suas estantes de música.

De todos esses tios, contudo, restava um. De todas essas tias, contudo, restava uma.

Essa tia era uma das lembranças encantadoras de Hoffmann.

Na casa em que Hoffmann passara a juventude vivia uma irmã de sua mãe, uma jovem de olhar suave, que penetrava até as profundezas da alma; uma jovem doce, inteligente, cheia de sutileza que, na criança que todos consideravam um louco, um maníaco, um fanático, via um espírito eminente; que sozinha por ele pleiteava, é claro que com sua mãe; que lhe predizia o gênio, a glória; predição que por mais de uma vez fez as lágrimas surgirem nos olhos da mãe de Hoffmann; pois ela sabia que o companheiro inseparável do gênio e da glória era a infelicidade.

Essa tia era a tia Sofia.

Como toda a família, essa tia era musicista, tocava

alaúde. Quando Hoffmann despertava em seu berço, despertava inundado de vibrante harmonia; quando abria os olhos, via a forma graciosa da jovem mulher casada com seu instrumento. Em geral usava um vestido verde-água com laços cor-de-rosa; em geral estava acompanhada de um velho músico de pernas tortas e peruca branca que tocava um baixo maior que ele, ao qual se agarrava subindo e descendo como um lagarto em uma abóbora. Foi dessa torrente de harmonia que caía como uma cascata de pérolas dos dedos da bela Euterpe que Hoffmann bebeu o filtro encantado que o transformou em músico.

Por isso a tia Sofia, como dissemos, era uma das lembranças mais encantadoras de Hoffmann.

O mesmo não ocorria com seu tio.

A morte do pai de Hoffmann, a doença de sua mãe, deixou-o nas mãos daquele tio.

Era um homem tão exato quanto o pobre Hoffmann era incoerente, tão bem organizado quanto o pobre Hoffmann era estranhamente fantasioso, e cujo espírito de ordem e de exatidão se exerceu o tempo todo sobre o sobrinho, mas sempre tão inutilmente quanto o espírito do imperador Carlos V jamais influenciou seus pêndulos: por mais que o tio fizesse, as horas soavam segundo a fantasia do sobrinho, nunca segundo a sua.

No fundo, apesar de sua exatidão e de sua regularidade, esse tio de Hoffmann não era contudo um inimigo por demais ferrenho das artes e da imaginação; até tolerava a música, a poesia e a pintura; mas pretendia que um homem de bom senso só devesse recorrer a semelhantes relaxamentos após o jantar, para facilitar a digestão. Foi sobre esse tema que organizou a vida de Hoffmann: tantas horas para o sono, tantas horas para o estudo do direito, tantas horas para as refeições, tantos minutos para a música, tantos minutos para a pintura, tantos minutos para a poesia.

Hoffmann bem que quis inverter tudo aquilo e dizer: tantos minutos para o direito e tantas horas para a poesia, para a pintura e para a música; mas Hoffmann não era o senhor. O resultado foi que o rapaz acabou com horror do direito e de seu tio e um belo dia fugiu de Koenigsberg com alguns táleres no bolso e alcançou Heidelberg, onde parou por alguns instantes, mas onde não conseguiu ficar, dada a péssima música que se fazia em seu teatro.

Conseqüentemente, de Heidelberg foi até Mannheim, ao lado de cujo teatro, como vimos, ele se alojou; esse teatro era famoso por rivalizar com os palcos líricos da França e da Itália, porque não se deve esquecer que apenas cinco ou seis anos antes da época à qual chegamos ocorreu na Academia real de música a grande luta entre Gluck e Puccini.

Hoffmann estava portanto em Mannheim, onde residia junto ao teatro e onde vivia do produto de sua pintura, de sua música e de sua poesia, além dos fredericos de ouro que sua mãe conseguia lhe mandar de vez em quando, no momento em que, outorgando-nos o privilégio do Diabo manco, acabamos de erguer o teto de seu quarto e de mostrá-lo aos nossos leitores de pé, encostado na parede, imóvel atrás de sua cortina, ofegante, os olhos fixos no portal da igreja dos jesuítas.

2
Um apaixonado e um louco

No instante em que algumas pessoas que saíam da igreja dos jesuítas, embora mal se estivesse no meio da celebração da missa, despertavam mais do que nunca a atenção de Hoffmann, bateram à sua porta. O jovem sacudiu a cabeça e pisoteou o chão em um movimento de impaciência, mas não respondeu.

Bateram uma segunda vez.

Um olhar ameaçador foi fulminar o indiscreto através da porta.

Bateram uma terceira vez.

Desta feita, o jovem permaneceu completamente imóvel; visivelmente, estava decidido a não obrir.

Porém, em vez de teimar em bater, o visitante contentou-se em pronunciar um dos nomes de Hoffmann.

– Theodor – disse.

– Ah, é você, Zacharias Werner – murmurou Hoffmann.

– Sou eu; você quer mesmo ficar sozinho?

– Não, espere.

E Hoffmann foi abrir.

Um jovem alto, pálido, magro e louro, um pouco inquieto, entrou. Teria uns três ou quatro anos a mais que Hoffmann. No momento em que a porta se abriu, pousou-lhe a mão no ombro e os lábios na testa, como um irmão mais velho faria.

Era de fato um verdadeiro irmão para Hoffmann. Nascido na mesma casa que ele, Zacharias Werner, futuro autor de *Martin Luther*, de *Átila*, de *24 de fevereiro*, de *A cruz do Báltico*, cresceu sob a proteção tanto de sua mãe quanto da mãe de Hoffmann.

As duas mulheres, ambas atingidas por uma afecção nervosa que as levou à loucura, haviam transmitido essa doença a seus filhos; a enfermidade, atenuada pela transmissão, traduziu-se em imaginação fantástica em Hoffmann e em disposição melancólica em Zacharias. A mãe do último acreditava-se, a exemplo da Virgem, encarregada de uma missão divina. Seu filho, seu Zacharias, deveria ser o novo Cristo, o futuro Siloé prometido pelas Escrituras. Enquanto Zacharias dormia, ela trançava-lhe coroas de acianos com as quais lhe cingia a testa; ajoelhava-se diante dele cantando com sua voz suave e harmoniosa os mais belos cânticos de Lutero, esperando, a cada versículo, ver a coroa de acianos transformar-se em auréola.

As duas crianças foram criadas juntas; foi sobretudo porque Zacharias residia em Heidelberg, onde estudava, que Hoffmann fugiu para lá, e Zacharias, por sua vez, retribuindo a amizade de Hoffmann, abandonou Heidelberg e foi juntar-se a Hoffmann em Mannheim, quando Hoffmann foi buscar em Mannheim uma música melhor do que a que encontrou em Heidelberg.

Mas, uma vez reunidos, uma vez em Mannheim, longe da autoridade dessa mãe tão doce, os dois jovens adquiriram apetite pelas viagens, esse complemento indispensável da educação do estudante alemão, e resolveram visitar Paris.

Werner, em virtude do estranho espetáculo que a capital francesa deveria oferecer em meio ao período do Terror a que chegara.

Hoffmann, para comparar a música francesa com a italiana e principalmente para estudar os recursos de encenação e de cenários da ópera francesa, Hoffmann tendo desde aquela época a idéia que cortejou durante toda a sua vida de ser diretor de teatro.

Libertino por temperamento, embora religioso por educação, Werner contava de fato ao mesmo tempo aproveitar, para seu prazer, aquela estranha liberdade de costumes à qual se chegara em 1793 e à qual um de seus amigos, que voltara havia pouco de uma viagem a Paris, descrevera de forma tão sedutora, que essa descrição virara a cabeça do estudante voluptuoso.

Hoffmann contava ver os museus sobre os quais lhe haviam dito tantas maravilhas e, ainda flutuando à sua maneira, comparar a pintura italiana com a alemã.

Quaisquer que fossem, aliás, os motivos secretos que estimulavam os dois amigos, o desejo de visitar a França era igual em ambos.

Para realizar esse desejo só faltava-lhes uma coisa, o dinheiro. Contudo, por uma estranha coincidência, o acaso quis que Zacharias e Hoffmann recebessem no mesmo dia, cada qual de sua mãe, cinco fredericos de ouro.

Dez fredericos de ouro completavam praticamente duzentas libras, era uma bela soma para dois estudantes que viviam, abrigados, aquecidos e alimentados, com cinco táleres por mês. A soma no entanto era insuficiente para a realização do projeto da viagem sonhada.

Os dois jovens tiveram então uma idéia e, como tiveram a idéia ao mesmo tempo, tomaram-na como uma inspiração dos céus.

Foi a de ir jogar, e cada um arriscar os cinco fredericos de ouro.

Com aqueles dez fredericos de ouro, não seria possível viajar. Arriscando os dez fredericos de ouro, poderiam ganhar uma soma suficiente para dar a volta ao mundo.

Dito e feito: a estação das águas aproximava-se e, em 1º de maio, abriam-se as casas de jogo; Werner e Hoffmann entraram em uma delas.

Werner foi o primeiro a tentar a sorte e em cinco vezes perdeu seus cinco fredericos de ouro.

Chegou a vez de Hoffmann.

Hoffmann arriscou tremendo seu primeiro frederico de ouro e ganhou.

Estimulado pela estréia, dobrou a aposta. Hoffmann estava num dia de sorte; ganhava quatro vezes em cinco, e o jovem era daqueles que tem fé na fortuna. Em vez de hesitar, avançou de peito aberto de aposta em aposta; aparentemente um poder sobrenatural o estava ajudando; sem nenhuma combinação pensada, sem nenhum cálculo, jogava seu ouro em uma carta, e seu ouro duplicava, triplicava, quintuplicava. Zacharias, mais trêmulo que um homem febril, mais pálido que um espectro, murmurava: "Chega, Theodor, chega"; mas o jogador zombava daquela timidez pueril. O ouro seguia o ouro, e o ouro gerava ouro. Finalmente soaram duas horas da manhã, hora de fechamento da casa, encerraram-se os jogos; cada jovem pegou um carregamento de ouro sem contar. Zacharias, que não conseguia acreditar que toda aquela fortuna lhe pertencia, foi o primeiro a sair: Hoffmann ia segui-lo, quando um velho oficial, que não o perdera de vista durante todo o tempo que ele jogara, deteve-o no instante em que ele ia transpor o limiar da porta.

– Meu jovem – disse, pousando-lhe a mão no ombro e fixando-o com o olhar –, se continuar assim, rebentará a banca, concordo; mas quando a banca rebentar, você só será uma presa ainda mais certa do diabo.

E, sem esperar a resposta de Hoffmann, desapareceu. Hoffmann também saiu, mas não era mais o mesmo. A predição do velho soldado esfriara-o como um banho gelado, e aquele ouro que enchia seus bolsos pesava-lhe. Parecia que estava carregando seu fardo de iniqüidades.

Werner esperava-o feliz. Voltaram juntos para a casa de Hoffmann, um rindo, dançando, cantando; o outro devaneando, quase sombrio.

O que ria, dançava, cantava era Werner; o que devaneava e estava quase sombrio era Hoffmann.

Ambos, aliás, decidiram partir no dia seguinte à noite para a França.

Separaram-se com um abraço.

Quando se viu sozinho, Hoffmann contou seu ouro.

Tinha cinco mil táleres, vinte e três ou vinte e quatro mil francos.

Refletiu por muito tempo e aparentemente tomou uma decisão difícil.

Enquanto ponderava ao clarão de uma lamparina de cobre que iluminava o quarto, seu rosto estava pálido e sua testa encharcada de suor.

A cada ruído à sua volta, fosse esse ruído tão impossível de captar quanto o frêmito da asa de uma mosca, Hoffmann estremecia, virava-se e olhava em torno de si com terror.

A predição do oficial voltava-lhe à mente, ele murmurava baixinho os versos de *Fausto* e parecia ver junto à porta o rato roedor; no canto do quarto, o cão d'água negro.

Finalmente, tomou uma decisão.

Pôs de lado mil táleres, que considerava uma soma mais do que suficiente para a viagem, fez um pacote com os outros quatro mil táleres; nesse pacote, colou com cera um cartão no qual escreveu:

Ao senhor burgomestre de Koenigsberg para ser dividido entre as famílias mais pobres da cidade.

Em seguida, feliz com a vitória que conquistara sobre si mesmo, aliviado com o que acabara de fazer, despiu-se, deitou-se e dormiu de um só sono até às sete horas da manhã seguinte.

Despertou às sete horas, e seu primeiro olhar foi para seus mil táleres visíveis e seus quatro mil táleres empacotados. Parecia-lhe ter sonhado.

A visão dos objetos assegurou-o da realidade do que lhe acontecera na véspera.

Mas o que era sobretudo uma realidade para Hoffmann, embora nenhum objeto material estivesse lá para lembrá-la, era a predição do velho oficial.

Por isso, sem qualquer remorso, vestiu-se como de hábito; e, com seus quatro mil táleres debaixo do braço, foi levá-los pessoalmente à diligência de Koenisberg, depois de ter tido contudo o cuidado de trancar os mil táleres restantes na gaveta.

Em seguida, como fora combinado, o leitor deve lembrar-se, que os dois amigos partiriam naquela mesma noite para a França, Hoffmann começou a fazer os preparativos para a viagem.

Enquanto ia e vinha, escovando um paletó, dobrando uma camisa, tirando dois lenços, Hoffmann lançou um olhar para a rua e permaneceu na pose em que estava.

Uma jovem de dezesseis ou dezessete anos, encantadora, com toda certeza estrangeira na cidade de Mannheim, já que Hoffmann não a conhecia, vinha da extremidade oposta da rua e encaminhava-se para a igreja.

Em seus sonhos de poeta, de pintor e de músico, Hoffmann jamais vira nada parecido.

Era algo que superava não apenas tudo o que vira, mas ainda tudo o que esperava ver.

E no entanto, à distância em que se encontrava, via apenas um conjunto maravilhoso: os detalhes escapavam-lhe.

Uma velha criada acompanhava a jovem.

Ambas subiram devagar os degraus da igreja dos jesuítas e desapareceram sob o pórtico.

Hoffmann abandonou a arrumação da mala pela metade, um terno vinho meio amassado, seu redingote com galões de ouro meio dobrado e permaneceu imóvel atrás da cortina.

Foi nessa situação que o encontramos e que seu amigo Zacharias Werner veio pegá-lo depois de nós.

O recém-chegado apoiou ao mesmo tempo, como dissemos, a mão no ombro e seus lábios na testa do amigo.

Em seguida, deu um enorme suspiro.

Embora Zacharias Werner estivesse sempre muito pálido, estava contudo mais pálido do que de hábito.

– O que você tem afinal? – perguntou-lhe Hoffmann, de fato preocupado.

– Ah, amigo – exclamou Werner. – Sou um bandido! Um miserável! Mereço a morte... rache-me a cabeça com um machado... traspasse-me o coração com uma flecha. Não sou mais digno de ver a luz do céu.

– Ora! – exlcamou Hoffmann com a distração plácida do homem feliz. – Afinal, o que aconteceu, caro amigo?

– Aconteceu... O que aconteceu, não é?... Você está me perguntando o que aconteceu? Bem, amigo, o diabo tentou-me!

– O que você quer dizer?

– Que quando vi todo meu ouro hoje de manhã, havia tanto que me pareceu ser um sonho.

– Como, um sonho?

– Havia uma mesa inteira toda coberta de ouro – continuou Werner. – Bem, quando vi aquilo, uma verdadeira fortuna, mil fredericos de ouro, meu amigo. Bem, quando vi aquilo, quando de cada moeda vi resplandecer um raio, voltei a ficar com raiva, não consegui resistir, peguei um terço de meu ouro e fui jogar.

– E perdeu?

– Até o último centavo.

– Qual o problema? Foi um pequeno azar, já que lhe restam os dois terços.

– Ah, claro, os dois terços! Voltei para pegar o segundo terço e...

– Perdeu como o primeiro?

– Ainda mais depressa, amigo, ainda mais depressa.

– E você voltou para buscar o terceiro terço?

– Não voltei, roubei: peguei os mil e quinhentos táleres restantes e apostei-os no vermelho.

– E saiu o negro, não foi? – disse Hoffmann.

– Ah, amigo, o negro, o horrível negro, sem hesitação, sem remorso, como se saindo estivesse acabando com as minhas últimas esperanças. Saiu, amigo, saiu...

– E você só lamenta os mil fredericos por causa da viagem?

– Por nenhuma outra coisa. Ah! Se pelo menos eu tivesse guardado o suficiente para ir a Paris, quinhentos táleres!

– Ficaria consolado de ter perdido o resto?

– No mesmo instante.

– Não seja por isso, meu querido Zacharias – disse Hoffmann conduzindo-o à sua gaveta. – Aqui estão quinhentos táleres, vá!

– Como vá? – exclamou Werner. – E você?

– Ah, eu não vou mais.

– Como não vai mais?

– Não, pelo menos não agora.

– Mas por quê? Por que motivo? Quem o impede de ir? O que o retém em Mannheim?

Hoffmann arrastou depressa o amigo à janela. As pessoas começavam a sair da igreja, a missa acabara.

– Olhe, olhe – disse apontando alguém para chamar a atenção de Werner.

E, de fato, a jovem desconhecida aparecia no meio do portal e descia devagar os degraus da igreja, seu missal junto ao peito, a cabeça baixa, modesta e pensativa como a Margarida de Goethe.

– Está vendo – murmurou Hoffmann –, está vendo?

– Claro que estou.

– E o que tem a dizer?

– Digo que não existe nenhuma mulher no mundo que valha o sacrifício de uma viagem a Paris, mesmo que seja a bela Antonia, a filha do velho Gottlieb Murr, o novo regente do teatro de Mannheim.

– Então você a conhece?

– Claro.

– Conhece seu pai?

– Era regente no teatro de Frankfurt.

– E você pode me dar uma carta de apresentação para ele?

– Claro que sim.

– Então sente e escreva.

Zacharias sentou-se à mesa e escreveu.

No momento de partir para a França, recomendava seu jovem amigo Theodor Hoffmann a seu velho amigo Gottlieb Murr.

Hoffmann mal deu tempo a Zacharias de terminar a carta; aposta a assinatura, tomou-a dele e, abraçando o amigo, precipitou-se para fora do quarto.

– Tanto faz – gritou-lhe pela última vez Zacharias Werner –, você vai ver que não existe nenhuma mulher, por mais bonita que seja, que possa fazer com que você esqueça Paris.

Hoffmann ouviu as palavras do amigo, mas nem achou o caso de virar-se para responder-lhe, mesmo por um sinal de aprovação ou de desacordo.

Quanto a Zacharias Werner, colocou seus quinhentos táleres no bolso e, para não ser mais tentado pelo demônio do jogo, correu tão depressa para o edifício do serviço de transportes quanto Hoffmann corria até a casa do velho regente.

Hoffmann bateu à porta de mestre Gottlieb Murr no mesmo momento em que Zacharias Werner subiu na diligência para Estrasburgo.

3
Mestre Gottlieb Murr

Foi o regente em pessoa que abriu a porta a Hoffmann.

Hoffmann jamais vira mestre Gottlieb e no entanto o reconheceu.

Embora grotesco, aquele homem só poderia ser um artista e mesmo um grande artista.

Era um velhinho entre cinqüenta e seis e sessenta anos, uma perna torta, e no entanto não mancava muito com aquela perna que parecia um saca-rolhas. Enquanto caminhava, ou melhor, saltitava, e seu saltitar parecia muito com o de um passarinho, enquanto saltitava e se adiantava às pessoas que introduzia em sua casa, parava, fazia uma pirueta com a perna torta, parecendo enfiar uma hélice na terra, e prosseguia seu caminho.

Enquanto o acompanhava, Hoffmann examinava-o e gravava em sua mente um daqueles retratos fantásticos e maravilhosos com os quais constituiu a galeria tão completa que nos proporcionou em suas obras.

O rosto do velho era entusiasmado, fino e espiritual ao mesmo tempo, recoberto por uma pele de pergaminho manchada de vermelho e negro como uma página de cantochão. No meio daquele aspecto estranho brilhavam dois olhos vivos nos quais era possível apreciar ainda melhor o olhar agudo porque os óculos que usava e nunca abandonava, mesmo no sono, estavam constantemente erguidos para a testa ou abaixados até a ponta do nariz.

Só quando tocava violino endireitando a cabeça e olhando à distância é que acabava usando o pequeno móvel que nele mais parecia um objeto de luxo do que uma necessidade.

Sua calva estava sempre protegida por um pequeno barrete negro, que se tornara parte integrante de sua pessoa. Dia e noite Gottlieb aparecia aos visitantes com seu barrete. Quando saía, contudo, contentava-se em encimá-lo de uma peruquinha à Jean-Jacques. De maneira que o barrete ficava preso entre o crânio e a peruca. Nem é preciso dizer que jamais mestre Gottlieb se preocupou o mínimo que fosse com a porção de veludo que aparecia sob sua cabeleira falsa, que, tendo mais afinidade com o chapéu do que com a cabeça, acompanhava-o em sua excursão aérea todas as vezes que mestre Gottlieb cumprimentava.

Hoffmann olhou ao seu redor, mas não viu ninguém. Acompanhou então mestre Gottlieb para onde mestre Gottlieb que, como dissemos, caminhava à sua frente, quis levá-lo.

Mestre Gottlieb parou em um grande gabinete cheio de partituras empilhadas e de folhas de músicas soltas: em uma mesa, havia dez ou doze estojos mais ou menos enfeitados, todos com a forma que não engana um músico, ou seja, a forma de um estojo de violino.

Naquele momento, mestre Gottlieb estava organizando para o teatro de Mannheim, no qual queria fazer um teste de música italiana, o *Matrimonio segreto* de Cimarosa.

Um arco, como o bastão de Arlequim, estava enfiado em sua cintura, ou melhor, estava preso pela braguilha abotoada de suas calças, uma pena erguia-se, orgulhosa, atrás de sua orelha, e seus dedos estavam manchados de tinta.

Com aqueles dedos manchados de tinta, pegou a carta que Hoffmann lhe apresentava e depois, dando uma olhada no endereço e reconhecendo a letra:

– Ah! Zacharias Werner – disse –, poeta, este é poeta, mas jogador. – Depois, como se a qualidade corrigisse um pouco o defeito, acrescentou: – Jogador, jogador, mas poeta.

Em seguida, abrindo a carta:

– Ele foi embora, não é? Foi embora!

– Está indo nesse exato momento, senhor.

– Que Deus o acompanhe! – acrescentou Gottlieb erguendo os olhos para o céu como para recomendar seu amigo a Deus. – Fez bem em ir embora. As viagens formam a juventude, e, se eu não tivesse viajado, não teria conhecido o imortal Pasiello, o divino Cimarosa.

– Mas – disse Hoffmann –, nem por isso o senhor deixaria de conhecer as obras deles, mestre Gottlieb.

– Claro, suas obras, claro, mas o que é conhecer a obra sem conhecer o artista? É conhecer a alma sem o corpo; a obra é o espectro, a aparição; a obra é o que resta de nós após a morte. Mas o corpo, veja, é o que viveu: jamais se compreenderá totalmente a obra de um homem se não se tiver conhecido o homem pessoalmente.

Hoffmann fez um sinal com a cabeça.

– É verdade – disse – só apreciei Mozart por completo depois de ter visto Mozart.

– Claro, claro – disse Gottlieb – Mozart tem coisas boas. Mas por que tem coisas boas? Porque viajou para a Itália. A música alemã, meu jovem, é a música dos homens; mas guarde bem isso, a música italiana é a música dos deuses.

– Contudo – replicou Hoffmann sorrindo –, contudo não foi na Itália que Mozart fez *As bodas de Fígaro* e *Don Juan*, já que escreveu o primeiro em Viena para o imperador, e o segundo em Praga para o teatro italiano.

– É verdade, jovem, é verdade, e gosto de ver em você esse espírito nacionalista que o faz defender Mozart. Com certeza, se o pobre diabo tivesse sobrevivido, se ainda tivesse feito mais uma ou duas viagem à Itália, seria um mestre, um grande mestre. Mas esse *Don Juan*, do qual está falando, essas *Bodas de Fígaro* do qual está falando, a partir do que os fez? A partir de libretos italianos, com letras em italiano, sob o reflexo do sol de Bolonha, de

Roma ou de Nápoles. Creia, meu jovem, é preciso ver e sentir aquele sol para apreciar seu valor. Veja, eu deixei a Itália há quatro anos; há quatro anos tremo de frio, exceto quando penso na Itália; só pensar na Itália já me aquece; não preciso de sobretudo quando penso na Itália; não preciso de paletó, nem mesmo de barrete. A lembrança me reanima: ó música de Bolonha! ó sol de Nápoles! Oh!...

E a figura do velhinho exprimiu um momento de suprema beatitude, e todo o seu corpo pareceu estremecer em um júbilo infinito como se as torrentes do sol meridional, inundando ainda sua cabeça, escorressem de sua testa calva para os ombros, e de seus ombros para toda a sua pessoa.

Hoffmann evitou tirá-lo do êxtase, apenas aproveitou para olhar ao seu redor, pois continuava a acalentar a esperança de ver Antonia. As portas, porém, estavam fechadas, e não se ouvia qualquer ruído por trás de nenhuma delas que revelasse a presença de um ser vivo.

Precisou portanto voltar a mestre Gottlieb, cujo êxtase aos poucos se acalmava e que acabou por dele sair com uma espécie de arrepio.

– Brrruuu! meu jovem – disse –, o que é que eu estava dizendo?

Hoffmann estremeceu.

– Bem, mestre Gottlieb, venho da parte de meu amigo Zacharias Werner, que me falou de sua bondade para os jovens, e como sou músico...

– Ah, você é músico!

Gottlieb endireitou-se, ergueu a cabeça, jogou-a para trás, e, através de seus óculos, no momento pousados nos últimos confins de seu nariz, encarou Hoffmann.

– Sim, sim – acrescentou –, rosto de músico, fronte de músico, olhos de músico; e o que você faz? compõe ou toca algum instrumento?

– As duas coisas, mestre Gottlieb.

– As duas coisas! – disse mestre Gottlieb –, as duas coisas! Esses jovens não duvidam de nada! Seria preciso toda a vida de um homem, de dois homens, de três homens para ser apenas um ou outro! E eles são as duas coisas!

E o homenzinho deu uma volta sobre si mesmo, erguendo os braços para o céu e parecendo enfiar no assoalho o saca-rolhas de sua perna direita.

Em seguida, terminada a pirueta, parando diante de Hoffman:

– Vejamos, jovem presunçoso – disse –, o que compôs?

– Sonatas, canto sacro e quintetos.

– Sonatas depois de Johann Sebastian Bach, canto sacro depois de Pergolese! Quintetos depois de Franz Joseph Haydn! Ah, juventude, juventude!

E com um sentimento de profunda piedade:

– E como instrumentista – continuou –, como instrumentista, qual instrumento toca?

– Todos mais ou menos, da rabeca ao cravo, da viola de amor à tiorba; mas o instrumento que mais estudo é o violino.

– De fato – zombou mestre Gottlieb –, de fato, você deu essa honra ao violino! Nossa, que sorte do pobre violino! Mas, infeliz – acrescentou, voltando em direção a Hoffmann, saltitando sobre uma perna só para andar mais rápido –, você sabe o que é o violino? O violino! – e mestre Gottlieb balançou o corpo sobre aquela única perna de que falamos, a outra permanecendo no ar como a de uma garça. – O violino! mas é o instrumento mais difícil. O violino foi inventado pelo próprio Satanás para danar o homem, quando Satanás perdeu mais almas do que com os sete pecados capitais reunidos. Só existe o imortal Tartini, Tartini, meu mestre, meu herói, meu deus! Só ele já alcançou a perfeição no violino; mas ele é o único a saber o que lhe custou nesse mundo e no outro ter tocado uma noite inteira com o violino do próprio diabo e ter guardado seu arco. Oh, o violino! Você sabe, profanador infeliz, que esse instrumento esconde sob sua simplicidade quase miserável os mais inesgotáveis tesouros de harmonia que é possível ao homem beber da taça dos deuses? Você estudou essa madeira, essas cordas, esse arco, e principalmente, principalmente, o material de que as cordas são feitas? Você espera reunir, congregar, domar sob seus dedos esse todo maravilhoso, que há dois séculos resiste aos esforços dos mais dotados, que se queixa, que geme sob os dedos deles e que jamas cantou a não ser sob os dedos do imortal Tartini, meu mestre? Quando você pegou um violino pela primeira vez, pensou bem no que estava fazendo, jovem! Mas você não é o primeiro – acrescentou mestre Gottlieb com um suspiro vindo das profundezas de suas entranhas – e não será o último que o violino perderá; violino, tentador eterno! Outros além de você também acreditaram em sua vocação e perderam a vida arranhando as cordas, e você será um a mais entre esses infelizes, em tão grande número, tão inúteis para a sociedade, tão insuportáveis para seus semelhantes.

E de repente, sem qualquer transição, agarrando um violino e um arco, como um mestre de esgrima pega dois floretes, e apresentando-os a Hoffmann:

– Muito bem – disse com um ar de desafio –, toque alguma coisa: vamos ver, toque, e eu vou lhe dizer em que ponto está e, se ainda der tempo de fugir do precipício, vou tirá-lo dele, como tirei o pobre Zacharias Werner. Ele também tocava violino; com fúria, com raiva. Sonhava com milagres, mas abri-lhe a inteligência. Despedaçou seu violino e ateou-lhe fogo. Depois coloquei-lhe um baixo entre as mãos, e ele acabou de acalmá-la. Ali havia lugar para seus longos dedos magros. No início, teve de estudar muitíssimo e agora, agora, toca bem o suficiente para festejar o tio, enquanto só tocaria violino para festejar o diabo. Vamos, jovem, aqui está um violino, mostre-me o que sabe fazer.

Hoffmann pegou o violino e examinou-o.

– Isso mesmo – disse mestre Gottlieb –, você está tentando saber de quem ele é, como o *gourmet* sente o odor do vinho que vai beber. Pince uma corda, só uma e, se seu ouvido não lhe disser o nome de quem fez o violino, você não será digno de tocá-lo.

Hoffmann pinçou uma corda, que provocou um som vibrante, prolongado, trêmulo.

– É um *Antonio Stradivarius*.

– Nada mal: mas de que época da vida de Stradivarius? Vamos ver: ele fez muitos violinos de 1698 a 1728.

– Bem, quanto a isso – disse Hoffmann –, confesso minha ignorância e parece-me impossível...

– Impossível, blasfemador! Impossível! É como se você me dissesse, infeliz, que é impossível reconhecer a idade do vinho saboreando-o. Ouça bem: tão certo como hoje é 10 de maio de 1793, esse violino foi feito durante a viagem que o imortal Antonio fez de Cremona a Mântua em 1705, e onde deixou seu ateliê a seu primeiro discípulo. Por isso, veja, esse Stradivarius, estou bem a vontade para dizer, é de terceira; mas tenho muito medo de que seja ainda bom demais para um pobre estudante como você. Está bem, toque!

Hoffmann pôs o violino no ombro, não sem sentir o seu coração bater com vivacidade, e começou as variações sobre o tema de *Don Juan*

Là ci darem' la mano...

Mestre Gottlieb permaneceu de pé junto a Hoffmann, batendo o compasso ao mesmo tempo com a cabeça e com a ponta do pé de sua perna torta. À medida que Hoffmann tocava, seu rosto animava-se, seus olhos brilhavam, seu maxilar superior mordia o lábio inferior e, dos dois lados desse lábio achatado, saíam dois dentes que, em sua posição normal, ele deveria esconder, mas que naquele momento se erguiam como duas presas de javali. Finalmente um alegro, que Hoffmann venceu com bastante vigor, atraiu para ele da parte de mestre Gottlieb um movimento de cabeça semelhante a um sinal de aprovação.

Hoffmann concluiu a execução com um movimento rumo ao corpo do instrumento que acreditava ser dos mais brilhantes, mas que, em vez de satisfazer o velho músico, nele provocou nele uma careta horrível.

No entanto seu rosto abrandou-se aos poucos e, batendo no ombro do jovem:

– Vamos, vamos – disse –, está menos ruim do que eu acreditava; quando esquecer tudo o que aprendeu, quando não fizer mais esses saltos da moda, quando organizar esses traços saltitantes e esses movimentos gritalhões rumo ao corpo do violino, será possível fazer algo por você.

Aquele elogio da parte de um homem tão difícil quando o velho músico encantou Hoffmann, pois ele não esquecia, por mais submerso que estivesse no oceano musical, que mestre Gottlieb era o pai da bela Antonia.

Por isso, agarrando as palavras que acabavam de sair da boca do ancião:

– E quem se encarregará de fazer algo por mim? – perguntou. – O senhor, mestre Gottlieb?

– Por que não, meu jovem? Por que não, se quer ouvir o velho Murr?

– Escutarei o que disser, mestre, e por quanto tempo quiser.

– Oh! – murmurou o velho com melancolia, pois estava se voltando para o passado, pois sua memória remontava aos anos transcorridos. – Conheci bem os virtuoses. Conheci Corelli, por tradição, é verdade: foi ele quem abriu a trilha, esboçou o caminho; deve-se tocar como Tartini, ou se renunciar ao violino. Foi ele quem primeiro adivinhou que o violino era, senão um deus, pelo menos o templo de onde um deus poderia sair. Depois dele veio Pugnani, violino passável, inteligente, mas fraco, fraco demais, principalmente em alguns *appoggiamenti*; depois Germiniani, este vigoroso, mas vigoroso por acessos, sem transição; fui a Paris de propósito para vê-lo, como você quer ir a Paris para ver a ópera: um maníaco, meu amigo, um sonâmbulo, meu amigo, um homem que gesticulava sonhando, ouvindo bastante bem o *tempo rubato*, *tempo rubato* fatal, que mata mais instrumentistas que o sarampo, que a febre amarela, que a peste! Então toquei-lhe minhas sonatas à maneira do imortal Tartini, meu mestre, e ele confessou seu erro. Infelizmente, o aluno estava afundado até o pescoço em seu método. Tinha setenta e um anos, o pobre. Quarenta anos antes, eu teria conseguido salvá-lo, como a Giardini; a este peguei a tempo, mas infelizmente, era incorrigível; o diabo em pessoa apoderara-se de sua mão esquerda, e então ele ia, ia, ia em tal velocidade que a mão direita não conseguia acompanhar. Eram extravagâncias, saltinhos, voltas ao corpo do instrumento de dar convulsões em um holandês. Por isso, um dia em que, diante de Jomelli, ele estava estragando uma peça magnífica, o bom Jomelli, o homem mais bondoso do mundo, deu-lhe um tapa dos mais rudes, e Giardini ficou com o rosto inchado, e Jomelli com o punho inchado por três semanas. É como Lulli, um louco, um louco de verdade, um dançarino na corda bamba, um saltador perigoso, um equilibrista sem equilíbrio e ao qual se deveria dar uma balança em vez de um arco. Que pena! Que pena! Que pena! – exclamou com dor o velho – digo isso com um profundo desespero, com Nardini e comigo a bela arte de tocar violino vai desaparecer: essa arte com a qual o mestre de todos nós, Orfeu, atraía os animais, movia pedras e construía cidades. Em vez de construir como o violino divino, demolimos como trombetas malditas. Se os franceses um dia entrarem na Alemanha para fazer cair as muralhas de Philippsburg, que eles sitiaram tantas vezes, vai bastar-lhes mandar executar por quatro violinos que conheço um concerto diante de suas portas.

O velho tomou fôlego e acrescentou em um tom mais suave:

– Sei que existe Viotti, um aluno meu, uma criança cheia de boas intenções, mas impaciente, libertino, desorganizado. Quanto a Giarnowicki, é um presunçoso ignorante, e a primeira coisa que eu disse à minha velha Lisbeth foi que, se um dia ouvisse esse nome ser pronunciado à minha porta, que fechasse a porta com tenacidade. Lisbeth está comigo há trinta anos, e eu lhe digo, meu jovem, mando Lisbeth embora se ela deixar Giarnowicki entrar na minha casa; um qualquer, que se permitiu falar mal do mestre dos mestres, o imortal Tartini. Oh! A quem me trouxer a cabeça de Giarnowicki, prometo aulas e conselhos à vontade. Quanto a você, meu rapaz – continuou o velho, voltando a Hoffmann – quanto a você, você não é muito bom, é verdade; mas Rode e Kreutzer, meus alunos, não eram muito melhores que você; quanto à você, eu dizia portanto, ao vir procurar mestre Gottlieb, ao se dirigir a mestre Gottlieb, ao conseguir ser recomendado a ele por um homem que o conhece e o aprecia, por esse louco do Zacharias Werner, você prova que nesse peito bate um coração de artista. Por isso agora, jovem, vamos ver, não vou mais colocar um *Antonio Stradivarius* suas mãos; não, nem mesmo um *Gramulo*, esse velho mestre que o imortal Tartini estimava tanto que só tocava num *Gramulo*; não, quero ouvi-lo em um *Antonio Amati*, o avô, o ancestral, na haste primeira de todos os violinos que foram feitos, no instrumento que será o dote de minha filha Antonia. Sabe, é o arco de Ulisses, e quem conseguir fazer bem a escala com o arco de Ulisses é digno de Penépole.

O ancião abriu então um estojo de veludo todo enfeitado de dourado e dele tirou um violino parecido com algum que não deve jamais ter existido, e como talvez só Hoffmann se lembrasse ter visto nos concertos fantásticos de seus tios-avós e de suas tias-avós.

Depois inclinou-se sobre o instrumento venerável e apresentando-o a Hoffmann:

– Pegue – disse – e tente não ser indigno demais dele.

Hoffmann inclinou-se, pegou o instrumento com respeito e começou um velho estudo de Johann Sebastian Bach.

– Bach, Bach – murmurou Gottlieb – seu órgão ainda é passável, mas nada entendia de violino. Não tem importância.

Ao primeiro som que Hoffmann tirou do instrumento, estremeceu, pois ele, músico eminente, compreendia que tesouro de harmonia acabavam de pôr em suas mãos.

O arco, de fato um arco, de tão curvo que era, permitia que o instrumentista abraçasse as quatro cordas de uma vez, e a última delas erguia-se a tons celestes tão maravilhosos que jamais Hoffmann imaginou um som tão divino pudesse despertar de uma mão humana.

Enquanto isso, o ancião mantinha-se perto dele, a cabeça tombada para trás, os olhos piscando, dizendo como único estímulo:

– Nada mal, nada mal, meu jovem; a mão direita, a mão direita! A mão esquerda é apenas movimento, a mão direita é a alma. Vamos, mais alma, mais alma, mais alma!!!

Hoffmann sentia de fato que o velho Gottlieb tinha razão e compreendia, como o mestre lhe dissera no primeiro teste, que era preciso desaprender tudo o que aprendera; e, por uma transição insensível, mas sustentada, mas crescente, ele passava do pianíssimo para o fortíssimo, da carícia à ameaça, do clarão ao raio, e perdia-se em uma torrente de harmonia que erguia como uma nuvem e que deixava tornar a cair em cascatas murmurantes, em pérolas líquidas, em poeira úmida, e ele estava sob a influência de uma nova situação, de um estado que chegava ao êxtase, quando de repente sua mão esquerda enfraqueceu sobre as cordas, o arco morreu em sua mão, o violino escorregou de seu peito, seus olhos tornaram-se fixos e ardentes.

A porta acabara de se abrir e, no espelho diante do qual tocava, Hoffmann viu aparecer, semelhante a uma sombra evocada por uma harmonia celeste, a bela Antonia, a boca entreaberta, o peito oprimido, os olhos úmidos.

Hoffmann deu um grito de prazer, e mestre Gottlieb mal teve tempo de apanhar o venerável *Antonio Amati*, que escapou da mão do jovem instrumentista.

4
ANTONIA

Antonia pareceu mil vezes ainda mais bela a Hoffmann no momento em que a viu abrir a porta e entrar do que no momento em que a viu descer os degraus da igreja.

É porque, no espelho em que a imagem da moça acabara de se refletir e que estava a apenas dois passos de Hoffmann, Ele pôde de abraçar com um só olhar todas as belezas que haviam lhe escapado à distância.

Antonia tinha apenas dezessete anos: era de altura média, mais para alta do que para baixa, mas tão esguia sem ser magra, tão flexível sem ser frágil que todas as comparações com lírios balançando em suas hastes, palmeiras curvando-se ao vento, seriam insuficientes para descrever aquela *morbidezza* italiana, única palavra da língua que exprime aproximadamente a idéia de suave languidez que sua aparência despertava. Como Julieta, sua mãe era uma das mais belas flores da primavera de Verona, e em Antonia encontravam-se não fundidas, mas lado a lado, e era o que constituía o encanto daquela moça, as belezas das duas raças que disputam a palma da beleza. Desse modo, com a pele fina das mulheres do norte, ela tinha a tez opaca das mulheres do sul; da mesma forma, seus cabelos loiros, cheios e leves ao mesmo tempo, que flutuavam ao menor sinal de vento, como um vapor dourado, sombreavam olhos e sobrancelhas de veludo negro. Além disso, mais uma coisa singular, era sobretudo em sua voz que se sentia a mescla harmoniosa das duas línguas. Por isso, quando Antonia falava alemão, a doçura da bela língua, na qual, como diz Dante, ressoa o *se*, vinha suavizar a rudeza do sotaque germânico, enquanto, ao contrário, quando falava italiano, a língua um tanto indolente de Metastásio e de Goldoni adquiria uma firmeza que lhe proporcionava a acentuação poderosa da língua de Schiller e de Goethe.

Não era porém apenas no nível físico que a fusão se fazia perceptível; moralmente, Antonia era um tipo maravilhoso, desses que podem reunir a poesia oposta do sol da Itália e das brumas da Alemanha. Dir-se-ia ao mesmo tempo uma musa e uma fada, a Lorelei da balada e a Beatrice da *Divina Comédia*.

É porque Antonia, artista por excelência, era filha de uma grande artista. Acostumada à música italiana, sua mãe um dia enfrentou corpo-a-corpo a música alemã. A partitura da *Alceste* de Gluck caíra-lhe nas mãos, e ela conseguira que seu marido, mestre Gottlieb, traduzisse o poema para o italiano, e, o poema traduzido para o italiano, ela fora cantá-lo em Viena; porém sobrestimou suas forças, ou melhor, a admirável cantora não conhecia a medida de sua sensibilidade. Na terceira apresentação da ópera, que obteve grande sucesso, no admirável solo de *Alceste*:

Divindades do Estige, ministros da morte,
Não evocarei vossa piedade real,
Arrebato um terno esposo de sua funesta sorte,
Mais vos abandono uma esposa leal.

quando ela atingiu o ré de peito, empalideceu, oscilou, desmaiou: um vaso rompera-se naquele peito tão generoso: o sacrifício aos deuses infernais se realizara de forma real: a mãe de Antonia estava morta.

O pobre mestre Gottlieb regia a orquestra; de onde estava, viu oscilar, empalidecer, cair aquela a quem amava mais que tudo; pior, ouviu quebrar-se em seu peito a fibra que sustentava sua vida e deu um grito terrível que se mesclou ao último suspiro da virtuose.

Daí talvez viesse o ódio de mestre Gottlieb pelos mestres alemães; fora o cavaleiro Gluck que, bem inocentemente, matara sua Teresa, mas nem por isso ele deixou de odiar de morte o cavaleiro Gluck por essa dor profunda que sentira e que só se acalmara à medida que transferiu para Antonia que crescia todo o amor que tinha pela mãe dela.

Agora, aos dezessete anos, a moça chega a significar tudo para o ancião; vivia por meio de Antonia, respirava por Antonia. Jamais a idéia da morte de Antonia despontara em sua mente; se despontasse, porém, ele não teria se preocupado muito, contanto que nem lhe passasse pela cabeça a idéia de que ele poderia sobreviver a Antonia.

Não foi portanto com um sentimento menos entusiasmado que Hoffmann, embora a pureza desse sentimento fosse diferente, viu Antonia aparecer no limiar da porta de seu gabinete.

A jovem entrou devagar; duas lágrimas brilhavam-lhe nas pálpebras; e, dando três passos em direção a Hoffmann, estendeu-lhe a mão.

Em seguida, com um tom de familiaridade casta, e como se conhecesse o jovem havia dez anos:

– Bom dia, irmão – disse.

Desde o momento em que a filha aparecera, mestre Gottlieb permanecera mudo e imóvel; sua alma como sempre abandonara seu corpo e, esvoaçando em torno dela, cantava aos ouvidos de Antonia todas as melodias de amor e de felicidade que a alma de um pai canta ao ver sua filha bem-amada.

Pousara portanto seu caro *Antonio Amati* na mesa e, juntando as duas mãos como faria diante da Virgem, contemplava sua filha aproximar-se.

Quanto a Hoffmann, não sabia se estava acordado ou dormindo, se estava na terra ou no céu, se era uma mulher que estava vindo em sua direção ou se estava diante da aparição de um anjo.

Por isso deu um passo para trás quando viu Antonia aproximar-se dele e estender-lhe a mão chamando-o de irmão.

– A senhorita, minha irmã! – disse, a voz sufocada.

– Isso mesmo – disse Antonia – não é o sangue que constitui a família, é a alma. Todas as flores são irmãs pelo perfume, todos os artistas, irmãos pela arte. Jamais o vi, é verdade, mas conheço-o; seu arco acaba de me contar sua vida. O senhor é poeta, um pobre louco, pobre amigo! Infelizmente é essa faísca ardente que Deus encerra em nossa cabeça ou em nosso peito que incendeia nosso cérebro ou consome nosso coração.

Depois, voltando-se para mestre Gottlieb:

– Bom dia, papai – disse. – Porque ainda não deu um beijo em sua Antonia? Ah, estou vendo, estou entendendo, *Il matrimonio segreto*, o *Stabat mater*, Cimarosa, Pergolese? Porpora! O que é Antonia perto desses grandes gênios, uma pobre criança que o ama, mas que o senhor esquece por eles.

– Eu, esquecer você! – exclamou Gottlieb. – O velho Murr esquecer Antonia! O pai esquecer a filha! Pelo quê! Por algumas notas ruins de música, por uma união de semibreves e colcheias, pretas e brancas, sustenidos e bemóis! Claro! Veja como a esqueço!

E, girando sobre sua perna torta com uma agilidade surpreendente, com sua outra perna e suas duas mãos o ancião fez voarem as partes da orquestração de *Il matrimonio segreto,* prontinhas para serem distribuídas aos músicos da orquestra.

– Meu pai! Meu pai – disse Antonia.

– Fogo! Fogo! – gritou mestre Gottlieb. – Fogo, vou queimar tudo isso; fogo, vou queimar Pergolese! Fogo, vou queimar Cimarosa! Fogo, vou queimar Pasiello! Fogo, vou queimar meu *Antonio Amati*! Minha filha, minha Antonia não disse que gosto mais das cordas, da madeira e do papel do que de minha carne e de meu sangue? Fogo, fogo, fogo!!!

E o ancião agitava-se como um louco e saltava em

sua perna como o diabo manco, seus braços movendo-se como um moinho de vento.

Antonia contemplava a loucura do velhinho com um doce sorriso de orgulho filial satisfeito. Ela sabia, ela que jamais usara de coqueteria que não com o pai, ela sabia que era onipotente para o velho, que o coração dele era o reino onde governava como soberana absoluta. Por isso deteve o velhinho no meio de suas evoluções e, atraindo-o para si, depôs um simples beijo em sua testa.

O velhinho soltou um grito de alegria, pegou a filha nos braços, ergueu-a como faria com um pássaro e foi cair, após ter rodado três ou quatro vezes sobre si mesmo, num grande canapé onde começou a niná-la como uma mãe faz com seu filho.

A princípio Hoffmann considerou mestre Gottlieb com medo; vendo-o jogar as partituras para cima, vendo-o erguer sua filha nos braços, achou que fosse um louco furioso em surto. Porém, observando o sorriso calmo de Antonia, logo se tranqüilizou e, recolhendo com respeito as partituras espalhadas, recolocou-as nas mesas e estantes, enquanto, com o canto do olho, examinava o par estranho, onde o próprio velhinho tinha a sua poesia.

De repente, algo doce, suave, aéreo perpassou o ar, era um vapor, uma melodia, algo de ainda mais divino: era a voz de Antonia que iniciava, com sua fantasia de artista, a maravilhosa composição de Stradella que salvara a vida de seu autor, o *Pieta, Signore.*

Às primeiras vibrações daquela voz de anjo, Hoffmann permaneceu imóvel, enquanto o velho Gottlieb, tirando com doçura a filha de seu colo, a depôs deitada como estava no canapé; em seguida, correndo a seu *Antonio Amati* e harmonizando o acompanhamento às suas palavras, começou, por sua vez, a fazer a harmonia de seu arco passar sob o canto de Antonia e sustentá-lo como um anjo sustenta a alma que carrega ao céu.

A voz de Antonia era de soprano e possuía toda a extensão que a prodigalidade divina pode dar, não a uma voz de mulher, mas a uma voz de anjo. Antonia percorria cinco oitavas e meia; cantava com a mesma facilidade o dó mais alto, nota divina que parece só pertencer aos concertos celestes, e o dó da quinta oitava das notas baixas. Hoffmann jamais escutara algo tão aveludado quanto esses quatro primeiros compassos cantados sem acompanhamento, *Pieta, signore, di me dolente.* Essa aspiração da alma sofredora por Deus, essa prece ardente ao Senhor para que tivesse piedade daquele sofrimento que se lamenta, adquiriam na boca de Antonia um pressentimento de respeito divino que se assemelhava ao terror. Por sua vez, o acompanhamento, que recebera a frase flutuando entre o céu e a terra, que, por assim dizer, a tomara em seus braços, após o lá expirado e que, *piano, piano* repetia como um eco da queixa, o acompanhamento era digno em tudo da voz de lamento, e doloroso como ela. Já ele dizia, não em italiano, nem em alemão, nem em francês, mas nessa língua universal que se chama música:

"Piedade, Senhor, piedade de mim, infeliz! Piedade, Senhor, e, se minha prece chegar a ti, que o rigor se desarme e que teus olhares se voltem para mim menos severos e mais clementes!"

E, no entanto, ao mesmo tempo que seguia a voz, que se modelava a ela, o acompanhamento deixava-lhe toda a liberdade, toda a extensão; era uma carícia e não um abraço, um apoio e não um incômodo; e quando, no primeiro *sforzando*, isto é, quando, cansada do esforço, a voz tornou a cair como para tentar subir ao céu, o acompanhamento então pareceu temer pesar-lhe como uma coisa terrestre e abandonou-a quase às asas da fé, para só apoiá-la no mi bequadro, ou seja, no *diminuendo*, ou seja, quando, cansada do esforço, a voz recaiu no *dó*, quando, no *ré* e nos dois *fá*, a voz ergueu-se como que derrubada sobre si mesma e, como a madona de Canova, de joelhos, persignada sobre seus joelhos e na qual tudo se dobra, alma e corpo, caídos sob a dúvida terrível de se a misericórdia do Criador será grande o suficiente para esquecer o erro da criatura.

Em seguida, quando a voz trêmula ela continuou: *Que jamais aconteça de eu ser amaldiçoada e precipitada no fogo eterno de teu vigor, ó grande Deus!*, então o acompanhamento ousou a misturar a voz à voz fremente que, entrevendo as chamas eternas, pediu ao Senhor para ser delas afastada. Então o acompanhamento, por sua vez, orou, suplicou, gemeu, subiu com ela até o *fá*, desceu com ela até o *dó*, acompanhando-a em sua fraqueza, sustentando-a em seu terror; logo, quando ofegante e sem força, a voz morreu nas profundezas do peito de Antonia, o acompanhamento continuou só após a voz se apagar, como, após a alma que voou e já está a caminho do céu, as preces dos sobreviventes continuam.

Então, às súplicas do violino de mestre Gottlieb começou a mesclar-se uma harmonia inesperada, suave e poderosa ao mesmo tempo, quase celeste. Antonia ergueu-se nos cotovelos, mestre Gottlieb virou-se um pouco e permaneceu com o arco suspenso sobre as cordas de seu violino. A princípio aparvalhado, embriagado, em delírio, Hoffmann compreendera que aos impulsos dessa alma era necessário um pouco de esperança e que ela se quebraria se um raio divino não lhe mostrasse o céu, e correra para um órgão, e estendera seus dez dedos nas teclas trementes, e o órgão, dando um longo suspiro, acabou se misturando ao violino de Gottlieb e à voz de Antonia.

Foi então uma maravilha aquele retorno ao motivo *Pieta, Signore*, acompanhado por essa voz de esperança, em vez de ser perseguido como na prece pelo terror, e, quando cheia de fé tanto em seu gênio quanto na prece, Antonia atacou com todo o vigor de sua voz o fá do volgi, um arrepio perpassou as veias de Hoffmann que, esmagando o *Antonio Amati* sob as torrentes de harmonia que escapavam de seu orgão, continuou a voz de Antonia depois de ela expirar e, sobre suas asas, não mais de anjo, mas de furacão, pareceu carregar o último suspiro daquela alma até os pés do Senhor onipotente e todo misericordioso.

Em seguida, fez-se um momento de silêncio; os três entreolharam-se, e suas mãos uniram-se em um aperto fraternal, como suas almas haviam se unido em uma harmonia comum.

E, a partir daquele momento, não foi só Antonia quem passou a chamar Hoffmann de irmão, mas o velho Gottlieb Murro passou a chamar Hoffmann de filho!

5
O Juramento

Talvez o leitor esteja se perguntando, ou melhor, nos perguntando como, se a mãe de Antonia morrera cantando, mestre Gottlieb Murr permitia que a filha, isto é, aquela alma de sua alma, corresse o risco de um perigo semelhante ao que havia feito a mãe sucumbir.

E, a princípio, quando ouvira Antonia ensaiar seu primeiro canto, o pobre pai tremera como a folha junto à qual canta um pássaro. Mas Antonia era um verdadeiro pássaro, e o velho músico logo percebeu que o canto era sua língua natural; por isso Deus, dando-lhe uma voz com tanta extensão que talvez não se encontrasse igual no mundo, indicara que quanto a essa questão mestre Gottlieb nada tinha a temer: de fato, quando a esse dom natural do canto se uniu o estudo da música, quando as dificuldades mais exageradas do solfejo foram colocadas sob os olhos da jovem e de imediato vencidas com maravilhosa facilidade, sem caretas, sem esforços, sem formar um único cordão no pescoço, sem um piscar de olhos, ele compreendera a perfeição do instrumento e, como Antonia, quando cantava os trechos destinados às vozes mais altas, sempre permanecia aquém do que podia fazer, ele se convencera de que não havia qualquer perigo em deixar o doce rouxinol ceder à inclinação de sua vocação melodiosa.

Só que mestre Gottlieb esquecera que a corda da música não é a única que ressoa no coração das moças e que existe uma outra bem mais frágil, que vibra de outra maneira, que é mortal de modo bem diferente, a do amor!

Esta depertara na pobre moça ao som do arco de Hoffmann; inclinada sobre seu bordado no quarto ao lado do qual estavam o jovem e o velhinho, ela erguera a cabeça ao primeiro frêmito que passara pelo ar. Prestara atenção;

em seguida, pouco a pouco, uma sensação estranha penetrara em sua alma, percorrera com arrepios desconhecidos suas veias. Então ela se erguera devagar, apoiando uma mão na cadeira, enquanto a outra deixava o bordado escapar de seus dedos entreabertos. Por um instante permanecera imóvel; depois, lentamente, avançara até a porta, e, como dissemos, sombra evocada da vida material, ela aparecera, visão poética, na porta do gabinete de mestre Gottlieb Murr.

Vimos como a música fundira em seu cadinho ardente essas três almas em uma única e como, no final do concerto, Hoffmann tornara-se comensal da casa.

Era a hora em que o velho Gottlieb tinha o costume de fazer sua refeição. Convidou Hoffmann para jantar com ele, convite que Hoffmann aceitou com a mesma cordialidade com que foi convidado.

Então, por alguns instantes, a bela e poética virgem dos cânticos divinos transformou-se em uma boa dona de casa. Antonia verteu o chá como Clarisse Harlow, passou manteiga no pão como Carlota e acabou também sentando-se à mesa e comendo como uma simples mortal.

Os alemães não compreendem a poesia como nós. No nosso mundo de boas maneiras, a mulher que come e bebe perde a poesia. Se uma mulher jovem e bonita senta-se à mesa é para encher as luvas, se todavia não as conservar nas mãos; se estiver diante de um prato é para ali ciscar no final da refeição um cacho de uvas, do qual a criatura imaterial às vezes consente em sugar os grãos mais dourados, como a abelha em uma flor.

É compreensível, segundo a maneira como Hoffmann foi recebido na casa do mestre Gottlieb, que ele voltasse no dia seguinte, no dia posterior e em todos os dias seguintes. Quanto a mestre Gottlieb, essa freqüência das visitas de Hoffmann não parecia preocupá-lo de forma alguma: Antonia era pura demais, casta demais, confiava demais no pai para que o velhinho suspeitasse de que a filha pudesse cometer um erro. Sua filha era Santa Cecília, era a Virgem Maria, era um anjo dos céus; a essência divina nela prevalecia de tal forma sobre a matéria terrestre, que o velhinho jamais julgara necessário dizer-lhe que havia mais perigo no contato de dois corpos do que na união de duas almas.

Hoffmann, portanto, estava feliz, isto é, tão feliz quanto uma criatura mortal pode estar. O sol da alegria jamais ilumina o coração por inteiro, uma mancha escura lembra o homem que a felicidade completa não existe nesse mundo, mas só no céu.

Hoffmann porém tinha uma vantagem sobre os comuns da espécie. Muitas vezes o homem não consegue explicar a causa dessa dor que perpassa o centro de seu bem-estar, dessa sombra que se projeta, escura e negra, sobre sua felicidade irradiante.

Hoffmann sabia o que o tornava infeliz.

Era aquela promessa feita a Zacharias Werner de ir juntar-se a ele em Paris; o desejo estranho de visitar a França apagava-se assim que Hoffmann se encontrava diante de Antonia, mas voltava a prevalecer no minuto em que tornava a ficar sozinho; e mais: à medida que o tempo passava e as cartas de Zacharias exigindo o cumprimento da promessa do amigo se tornavam mais urgentes, Hoffmann ficava ainda mais triste.

De fato, a presença da moça não bastava mais para expulsar o fantasma que agora perseguia Hoffmann até ao lado de Antonia. Muitas vezes, perto de Antonia, Hoffmann caía em um profundo devaneio. Com o que sonhava? Com Zacharias Werner, cuja voz parecia ouvir. Muitas vezes seu olhar, a princípio distraído, acabava por se fixar em um ponto do horizonte. O que esse olho via, ou melhor, o que acreditava ver? A estrada de Paris, depois, em uma das curvas da estrada, Zacharias caminhando diante dele e fazendo-lhe um sinal para que Hoffmann o seguisse.

Aos poucos, o fantasma que aparecia para Hoffmann em intervalos raros e desiguais, começou a voltar com maior regularidade e acabou por persegui-lo com uma obsessão contínua.

Hoffmann amava Antonia cada vez mais. Sentia que ela era necessária para sua vida, que era a felicidade de seu futuro; mas sentia igualmente que, antes de se lançar nessa felicidade e, para que a felicidade perdurasse, precisava realizar a peregrinação que projetara; sem isso, o desejo encerrado em seu coração, por mais estranho que fosse, poderia corroê-lo.

Um dia, sentado ao lado de Antonia enquanto mestre Gottlieb anotava em seu gabinete o *Stabat* de Pergolese, que ele queria executar na sociedade filarmônica de Frankfurt, Hoffmann caiu em um de seus devaneios habituais. Depois de contemplá-lo por muito tempo, Antonia pegou suas duas mãos.

– Você deve ir, amigo – disse.

Hoffmann olhou-a espantado.

– Ir? – repetiu. – Para onde?

– Para a França, para Paris.

– E quem lhe contou, Antonia, esse pensamento secreto de meu coração, que nem ouso confessar a mim mesmo?

– Poderia atribuir a mim perto de você o poder de uma fada, Theodor, e dizer: Li seu pensamento, li seus olhos, li seu coração. Mas estaria mentindo. Não, lembrei-me disso, é só.

– E do que se lembrou, minha Antonia bem-amada?

– Lembrei-me de que, na véspera do dia em que você veio visitar meu pai, Zacharias Werner veio a esta casa e nos contou sobre o projeto de viagem de vocês, do desejo ardente de ambos conhecerem Paris; desejo acalentado há mais de um ano e prestes a se realizar. Mais tarde, você me disse o que lhe impediu de partir. Disse-me como, ao me ver pela primeira vez, foi tomado por esse sentimento irresistível que também se apoderou de mim quando o escutei, e agora, só lhe resta me dizer isso: que me ama da mesma maneira.

Hoffmann fez um movimento.

– Não é necessário se dar ao trabalho de me dizer, eu sei – continuou Antonia – mas há algo mais poderoso que esse amor, é o desejo de ir para a França, de juntar-se a Zacharias e de conhecer finalmente Paris.

– Antonia! – exclamou Hoffmann. – Tudo o que você acaba de dizer é verdade, exceto por um ponto: que existe algo no mundo mais forte que meu amor! Não, eu lhe juro, Antonia, esse desejo, desejo estranho do qual nada compreendo, eu tê-lo-ia encerrado em meu coração se você não o tivesse extraído. Não se engane Antonia! É verdade que existe uma voz me chamando para Paris, uma voz mais forte que minha vontade e, no entanto, repito, eu não a obedeceria; essa voz é a do destino!

– Que seja, cumpramos nosso destino, amigo. Você partirá amanhã. Quanto tempo deseja?

– Um mês, Antonia; em um mês estarei de volta.

– Um mês não lhe bastará, Theodor. Em um mês você nada verá; concedo-lhe dois; concedo-lhe três; concedo-lhe todo o tempo que quiser; mas exijo uma coisa, ou melhor, duas coisas de você.

– Quais, querida Antonia? Quais? Diga logo.

– Amanhã é domingo; amanhã é dia de missa; olhe pela janela como olhou no dia da partida de Zacharias Werner e, como naquele dia, meu amigo, apenas mais triste, você vai me ver subindo os degraus da igreja; então venha ter comigo em meu lugar habitual, sente-se ao meu lado e, no momento em que o padre consagrar o sangue de Nosso Senhor, você vai me fazer dois juramentos, o de permanecer fiel e o de deixar de jogar.

– Oh, tudo o que quiser, agora mesmo, querida Antonia, eu lhe juro...

– Silêncio, Theodor, você vai jurar amanhã.

– Antonia, Antonia, você é um anjo!

– No momento de nossa separação, Theodor, não tem algo a dizer a meu pai?

– Tenho, você tem razão. Mas na verdade, confesso, Antonia, que hesito, que estremeço. Meu Deus! Quem sou eu para ousar ter esperanças?

– Você é o homem que amo, Theodor. Vá falar com meu pai, vá.

E fazendo a Hoffmann um sinal com a mão, ela abriu a porta de um quartinho transformado por ela em oratório.

Hoffmann acompanhou-a com o olhar até que a porta voltou a fechar-se e, através da porta, enviou-lhe, com todos os beijos de sua boca, todos os impulsos de seu coração.

Depois entrou no gabinete de mestre Gottlieb.

Mestre Gottlieb estava tão habituado aos passos de Hoffmann que nem mesmo ergueu os olhos da estante na qual copiava o *Stabat*. O jovem entrou e permaneceu de pé atrás dele.

Ao final de um instante, como não ouvisse mais nada, nem mesmo a respiração do jovem, mestre Gottlieb virou-se.

– Ah, é você, rapaz – disse, jogando a cabeça para trás para conseguir olhar para Hoffmann através de seus óculos. – O que veio me dizer?

Hoffmann abriu a boca, mas voltou a fechá-la sem ter articulado um único som.

– Ficou mudo? – perguntou o velho. – Que praga! Seria uma pena; um rapagão tagarela como você não pode perder a fala assim, a menos que seja por castigo por ter abusado dela!

– Não, mestre Gottlieb, não perdi a fala, graças a Deus! Só que o que tenho a lhe dizer...

– Então!

– Então parece-me uma coisa difícil.

– Bah, é tão difícil dizer: mestre Gottlieb, amo sua filha?

– O senhor sabe disso, mestre Gottlieb?

– Ora, mas eu seria bem louco, ou melhor bem tolo, se não tivesse percebido seu amor.

– E, no entanto, o senhor permitiu que eu a continuasse amando.

– Por que não? Ela também o ama...

– Mas, mestre Gottlieb, o senhor sabe que não tenho fortuna.

– Bah! E os pássaros do céu têm fortuna? Cantam, acasalam-se, constróem um ninho, e Deus os alimenta. Nós, artistas, parecemo-nos muito com os pássaros; cantamos, e Deus nos ajuda. Quando o canto deixar de ser suficiente, você poderá se tornar músico. Eu não era muito mais rico do que você quando me casei com minha pobre Teresa; muito bem! Jamais nos faltou abrigo ou pão. Sempre precisei de dinheiro, e ele nunca me faltou. Você é rico de amor? É tudo o que lhe exijo. Você merece o tesouro que cobiça? É tudo o que quero saber. Você ama Antonia mais do que a vida, mais do que sua alma? Então fico tranqüilo, nunca faltará nada a Antonia. Não ama? É outra coisa: mesmo se tivesse cem mil libras de renda, sempre lhe faltaria tudo.

Hoffmann estava prestes a se prosternar diante da adorável filosofia do artista. Inclinou-se sobre a mão do velhinho, que o atraiu para si e o apertou contra o peito.

– Vamos, vamos – disse ele – está combinado; faça sua viagem, já que a fúria de ouvir a música horrível do senhor Méhul e do senhor Dalayrac o atormenta; é uma doença de juventude que logo estará curada. Estou tranqüilo. Faça essa viagem, amigo, e volte para cá, aqui você voltará a encontrar Mozart, Beethoven, Cimarosa, Pergolèse, Pasiello, o Porpora, e, além disso, mestre Gottlieb e sua filha, ou seja, um pai e uma mulher. Vá, meu filho, vá.

E mestre Gottlieb deu mais um abraço em Hoffmann, que, vendo que a noite estava caindo, achou que não tinha tempo a perder e retirou-se para sua casa a fim de fazer os preparativos para a viagem.

No dia seguinte, já de manhãzinha, Hoffmann estava à janela.

À medida que o momento de abandonar Antonia se aproximava, aquela separação lhe parecia cada vez mais impossível. Todo aquele período encantador de sua vida que acabara de transcorrer, aqueles sete meses que haviam passado como um dia e que lhe apareciam na memória, ora como um vasto horizonte que ele abraçava com um olhar, ora como uma série de dias alegres, vinham uns após os outros, sorridentes, coroados de flores; os doces cantos de Antonia, que compunham uma ária semeada de doces melodias; tudo aquilo era um vestígio tão poderoso que quase lutava com o desconhecido, o maravilhoso enfeitiçador que atraía para si os corações mais fortes, as almas mais frias.

Às dez horas, Antonia apareceu na esquina onde, à mesma hora, sete meses antes, Hoffmann a vira pela primeira vez. A boa Lisbeth a acompanhava como de hábito, ambas subiram os degraus da igreja. Ao chegar ao último, Antonia virou-se, viu Hoffmann, fez um sinal com a mão e entrou na igreja.

Hoffmann precipitou-se para fora de casa e entrou na igreja atrás dela.

Antonia já estava ajoelhada e rezava.

Hoffmann era protestante, e aqueles cantos em uma outra língua sempre lhe pareceram bastante ridículos; mas, quando ouviu Antonia salmodiar esse canto de igreja ao mesmo tempo tão suave e amplo, lamentou não saber a letra para mesclar sua voz à de Antonia no momento ainda mais suave em virtude da profunda melancolia da qual a jovem era presa.

Durante todo o tempo que durou o santo sacrifício, ela cantou com a mesma voz com que os anjos devem cantar lá em cima; em seguida, finalmente, quando o sininho da criança do coro anunciou a consagração da hóstia, no momento em que os fiéis se curvavam diante de Deus que, nas mãos do padre, se erguia sobre suas cabeças, só Antonia empertigou-se.

– Jure – disse ela.

– Juro – disse Hoffmann, a voz trêmula – juro renunciar ao jogo.

– É o único juramento que vai me fazer, meu amigo?

– Não! Espere! Juro permanecer-lhe fiel de coração e espírito, de corpo e alma.

– E jura pelo quê?

– Oh! – exclamou Hoffmann, no auge da exaltação. – Pelo que tenho de mais caro, pelo que tenho de mais sagrado, pela sua vida!

– Obrigada! – exclamou Antonia por sua vez. – Porque, se não cumprir seu juramento, morrerei.

Hoffmann estremeceu, um arrepio percorreu todo o seu corpo, não se arrependeu, apenas sentiu medo.

O padre desceu os degraus do altar e carregou o Santo Sacramento para a sacristia.

No momento em que o corpo divino de Nosso Senhor passava, Antonia agarrou a mão de Hoffmann.

– O senhor escutou seu juramento, não é, meu Deus? – perguntou Antonia.

Hoffmann quis falar.

– Nem mais uma palavra, nem mais uma; quero que as que compuseram seu juramento, sendo as últimas que ouvi de você, sussurrem eternamente em meus ouvidos. Até logo, meu amigo, até logo.

E retirando-se precipitadamente, leve como uma sombra, a jovem abandonou um medalhão na mão de seu enamorado.

Hoffmann contemplou-a afastando-se como Orfeu deve ter contemplado Eurídice fugindo; quando Antonia desapareceu, ele abriu o medalhão.

Este encerrava o retrato de Antonia, resplandecente de juventude e beleza.

Duas horas depois, Hoffmann sentava-se na mesma diligência que Zacharias Werner, repetindo:

– Fique tranqüila, Antonia, não, não, não vou mais jogar, sim, vou lhe ser fiel!

6

Uma barreira de Paris em 1793

A viagem do jovem para aquela França que tanto desejara foi bastante triste. Não porque aproximando-se do centro deparasse com tantas dificuldades quanto encontrou para ir até a fronteira; não, a República francesa acolhia melhor os que chegavam do que os que partiam.

Todavia, só era possível saborear a felicidade dessa forma preciosa de governo após se ter cumprido um certo número de formalidades bastante rigorosas.

Foi a época em que os franceses menos souberam escrever, mas foi a época em que mais escreveram. Para todos os funcionários recém-contratados parecia portanto conveniente abandonar suas ocupações domésticas ou plásticas para assinar passaportes, fazer retratos falados, dar vistos, conceder recomendações, em suma fazer tudo o que diz respeito ao estado de patriota.

Nunca papelada alguma aumentou tanto quanto na época. Essa doença endêmica da administração francesa, acrescentando-se ao terrorismo, produziu as mais belas amostras de caligrafia grotesca de que já se falou até os dias de hoje.

O passe de Hoffmann era de uma exigüidade admirável. Era a época do exíguo: jornais, livros, publicações de propaganda, tudo se reduzia a folhetos de oito páginas no máximo. O passe do viajante, como dizíamos, desde a Alsácia foi invadido por assinaturas de funcionários que se pareciam bastante com ziguezagues de ébrios que cortam diagonalmente as ruas batendo em uma parede e em outra.

Hoffmann foi então obrigado a acrescentar uma folha a seu passaporte, depois uma outra na Lorena, onde as letras assumiram proporções colossais. Ali, onde o patriotismo era mais ardente, os escrevedores eram mais ingênuos.

Um prefeito usou duas folhas na frente e no verso para dar a Hoffmann o seguinte bilhete:

> "Auphemann, giove alemam, amigo da liberdade indo a Paris há pé.
>
> Asinado, Golier."

Munido desse documento perfeito sobre sua pátria, sua idade, seus princípios, seu destino e seus meios de transporte, Hoffmann só se preocupou em juntar todos esses farrapos cívicos, e somos obrigados a dizer que, ao chegar a Paris, ele estava de posse de um lindo volume que, segundo dizia, mandaria encadernar para o caso de um dia tentar outra viagem, porque, obrigado a ter sempre essas folhas à mão, elas corriam risco demais em uma simples pasta.

Em todos os lugares repetiam-lhe:

– Caro viajante, a província ainda está habitável, mas em Paris há bastante confusão. Cuidado, cidadão, a polícia em Paris é bastante detalhista e, em sua qualidade de alemão, poderá não ser tratado como bom francês.

Ao que Hoffmann respondia com um sorriso orgulhoso, reminiscência dos orgulhos espartanos quando os espiões da Tessália tentava engordar as forças de Xerxes, rei dos persas.

Chegou diante de Paris: era noite, as barreiras estavam fechadas.

Hoffmann falava passavelmente o francês, mas ou se é alemão, ou não; se não se é tem-se um sotaque que a longo prazo consegue passar pelo sotaque de uma de nossas províncias; quando se é, sempre se é reconhecido como alemão.

É preciso explicar como era o policiamento nas barreiras.

Em primeiro lugar, elas ficavam fechadas; em segundo, sete ou oito encarregados das seções de Paris naquela época, gente ociosa e bem inteligente, Lavaters amadores, rondavam em pelotões, fumando seus cachimbos, ao redor de dois ou três agentes da polícia municipal.

De missão em missão, aquela boa gente acabara por assombrar todas as salas dos clubes, todos os escritórios de distrito, todos os locais em que a política se insinuara pelo lado ativo ou pelo lado passivo; essa gente, que vira na Assembléia Nacional ou na Convenção todos os deputados, nas tribunas todos os aristocratas do sexo masculino e feminino, nos passeios todos os elegantes assinalados, nos teatros todas as celebridades suspeitas, nas revistas todos os oficiais, nos tribunais todos os acusados mais ou menos liberados de acusações, nas prisões todos os padres poupados; esses patriotas dignos conheciam tão bem sua Paris, que qualquer rosto conhecido de passagem deveria chamar sua atenção e digamos que quase sempre chamava.

Não era fácil disfarçar-se na época: riqueza demais nos trajes chamava a atenção, simplicidade demais provocava suspeita. Como a sujeira era uma das insígnias de civismo mais comum, qualquer carregador de água, qualquer ajudante de cozinha podia esconder um aristocrata; além disso, como dissimular por completo uma mão branca com belas unhas? Essa característica aristocrática, que não é mais sensível hoje em dia, quando os mais humildes usam os saltos mais altos, como escondê-la de vinte pares de olhos mais ardentes que os de um cão de caça?

Portanto, assim que chegava, um viajante era revistado, interrogado, despido quanto ao moral, com uma facilidade proporcionada pelos usos e com uma liberdade proporcionada pela... liberdade.

Hoffmann compareceu diante desse tribunal por volta das seis horas da tarde do dia 7 de dezembro. O tempo estava cinzento, feio, mistura de geada e bruma; mas os bonés de pele de urso e de lontra que aprisionavam as cabeças patrióticas deixavam-lhes sangue suficiente no cérebro e nos ouvidos para que permanecessem de posse de toda a sua presença de espírito e de suas faculdades investigadoras.

Hoffmann foi detido por uma mão que pousou com suavidade em seu peito.

O jovem viajante vestia um terno cinza chumbo, um redingote pesado, e suas botas alemãs desenhavam-lhe uma perna bastante sedutora, pois não haviam encontrado lama desde a última parada, e a carroça não conseguia mais prosseguir por causa da geada. Hoffmann fizera seis léguas a pé em uma estrada levemente salpicada de neve endurecida.

– Onde você vai assim, cidadão, com suas belas botas? – perguntou um agente ao jovem.

– Vou a Paris, cidadão.

– Você não perdeu a atração por ela, jovem prusssssiano – replicou o encarregado da sessão pronunciando esse epíteto de prussiano com uma prodigalidade de esses que fez com que dez curiosos cercassem o viajante.

Os prussianos não eram naquele momento mais inimigos da França do que os filisteus dos compatriotas de Sansão, o israelita.

– Bem, sim, sou pruziano – respondeu Hoffmann, transformando os cinco esses do encarregado da sessão em um zê –, e daí?

– Bem, se você é prussiano, é ao mesmo tempo um espiãozinho de Pitt e Cobourg, não é?

– Leia meus passaportes – respondeu Hoffmann, exibindo seu volume a um dos alfabetizados da barreira.

– Venha – replicou este virando para levar o estrangeiro ao corpo de guarda.

Hoffmann seguiu seu guia com muita tranqüilidade.

Quando, à luz das velas fumarentas, os patriotas viram aquele jovem nervoso, o olhar firme, os cabelos despenteados, entrecortando seu francês com a maior consciência possível, um deles exclamou:

– Ele não consegue negar ser aristocrata, esse aí; que mãos e que pés!

– Você, cidadão, é um tolo – respondeu Hoffmann. – Sou tão patriota quanto vocês e, além disso, sou *uma* artista.

Enquanto pronunciava essas palavras, Hoffmann tirou do bolso um daqueles cachimbos assustadores cujo fundo só um mergulhador da Alemanha pode encontrar.

O cachimbo produziu um efeito prodigioso sobre os encarregados da seção, que saboreavam seu tabaco em pequenos receptáculos.

Todos se puseram a contemplar o homenzinho jovem que amontoava naquele cachimbo, com habilidade, fruto do hábito, a provisão de tabaco de uma semana.

Em seguida Hoffmann sentou-se e acendeu o tabaco com método até que aparecesse uma grande crosta de fogo em sua superfície, aspirando depois em tempos iguais nuvens de fumaça que saíram com graça em colunas azuladas de seu nariz e de seus lábios.

– Ele fuma bem – disse um dos encarregados da seção.

– E parece que é brilhante nisso – disse um outro. – Examine os documentos dele.

– O que veio fazer em Paris? – perguntou um terceiro.

– Estudar a ciência e a liberdade – replicou Hoffmann.

– E o que mais? – acrescentou o francês pouco comovido com o heroísmo de tal frase, provavelmente por estar muito habituado a ele.

– E pintura – acrescentou Hoffmann.

– Ah, você é pintor como o cidadão David?

– Exatamente.

– Sabe pintar patriotas romanos nus como ele?

– Eu os pinto vestidos – disse Hoffmann.

– Não é tão bonito.

– Depende do gosto – replicou Hoffmann com um imperturbável sangue-frio.

– Faça meu retrato – disse o encarregado da seção com admiração.

– De bom grado.

Hoffmann pegou um tição no braseiro, mal apagou a extremidade vermelha e, numa parede caiada, desenhou um dos rostos mais feios que jamais desonraram a capital do mundo civilizado.

O boné de pêlos e com uma cauda de raposa, a boca babona, as costeletas espessas, o cachimbo curto, o queixo fugidio foram imitados com tanta realidade que todo o corpo de guarda pediu ao jovem o favor de ser *retraturado* por ele.

Hoffmann aceitou a tarefa de bom grado e esboçou na parede uma série de patriotas com os rostos bastante bem feitos, mas é claro menos nobres que os burgueses de *A ronda de noite* de Rembrandt.

Uma vez de bom humor, a suspeita abandonou os patriotas: o alemão foi naturalizado parisiense; ofereceram-lhe uma cerveja em sua homenagem e ele, como rapaz engenhoso, ofereceu a seus anfitriãos vinho da Borgonha, que aqueles senhores aceitaram com gosto.

Foi então que um deles, mais manhoso do que os outros, enganchou seu indicador no narigão e disse a Hoffmann piscando o olho esquerdo.

– Confesse uma coisa, cidadão alemão.

– O que, nosso amigo?

– Confesse-nos o objetivo de sua missão.

– Já lhe disse: a política e a pintura.

– Não, não, outra coisa.

– Garanto a você, cidadão...

– Entenda, não o estamos acusando; você nos agrada

e nós vamos protegê-lo: mas aqui estão dois delegados do Clube dos Franciscanos e dois dos Jacobinos; eu sou dos Irmãos e Amigos; escolha a qual de nossos clubes você homenagearia.

– Que tipo de homenagem? – surpreendeu-se Hoffmann.

– Ah, não se esconda, é tão bonito que você deveria pavonear-se por toda a parte.

– Ora, cidadão, você me faz corar, explique-se.

– Olhe e veja se consegue adivinhar – disse o patriota.

E, abrindo o livro dos passaportes, mostrou com seu dedo engordurado, em uma página com a rubrica Estrasburgo, as seguintes linhas:

"Hoffmann, viajante, procedente de Mannheim, pegou em Estrasburgo uma caixa com a etiqueta: O.B."

– É verdade – disse Hoffmann.

– Muito bem, o que essa caixa contém?

– Fiz minha declaração à alfândega de Estrasburgo.

– Olhem cidadãos, o que esse dissimulado traz para cá... Vocês lembram-se da remessa de nossos patriotas de Auxerre?

– Sim – disse um deles – uma caixa de toucinho.

– Para que?

– Para lubrificar a guilhotina – exclamou um coro de vozes satisfeitas.

– E daí? – disse Hoffmann, um pouco pálido. – Qual a relação dessa caixa que estou trazendo com a remessa dos patriotas de Auxerre?

– Leia – disse o parisiense, mostrando-lhe o passaporte. – Leia, meu jovem: "Viajando para a política e para a arte." Está escrito.

– Ó, República! – murmurou Hoffmann.

– Confesse então, jovem amigo da liberdade – disse-lhe seu protetor.

– Seria atribuir-me uma idéia que não tive – replicou Hoffmann. – Não gosto da glória falsa. Não, a caixa que peguei em Estrasburgo e que vai chegar com o serviço de transportes, contém apenas um violino, uma caixa de tintas e algumas telas enroladas.

Aquelas palavras diminuíram em muito a estima de alguns por Hoffmann. Devolveram-lhe seus papéis, agradeceram-lhe a bebida, mas deixaram de considerá-lo um salvador dos povos escravos.

Um dos patriotas chegou a acrescentar:

– Ele se parece com Saint-Just, mas prefiro Saint-Just.

Hoffmann, que voltara a devanear, aquecido pelo braseiro, pelo tabaco e pelo vinho da Borgonha, permaneceu algum tempo em silêncio. Mas, de repente, erguendo a cabeça:

– Estão guilhotinando muito por aqui? – quis saber.

– Bastante, bastante; menos depois dos girondinos, mas ainda é satisfatório.

– Vocês sabem onde posso encontrar um bom abrigo, amigos?

– Por toda a parte.

– Mas para ver tudo.

– Ah, então aloje-se perto do cais das Flores.

– Está bem.

– Você sabe onde fica o cais das Flores?

– Não, mas gosto da palavra flores. Já me vejo instalado no cais das Flores. Qual o caminho?

– Desça direto a rua do Inferno e chegará ao cais.

– Cais, isto quer dizer que estarei perto da água! – disse Hoffmann.

– Exato.

– E a água é do Sena.

– É do Sena.

– O cais das Flores é então à beira do Sena?

– Você conhece Paris melhor do que eu, cidadão alemão.

– Obrigado. Adeus: posso passar?

– Só mais uma formalidade.

– Diga.

– Você tem de passar no comissariado de polícia para obter uma autorização de permanência.

– Muito bem! Adeus.

– Espere. Com essa autorização do comissário, deve ir à polícia.

– Ah! ah!

– E deve dar o endereço de seu hotel.

– Tudo bem! Só isso?

– Não. Você tem de se apresentar à seção.

– Para quê? Para declarar seus meios de subsistência.

– Farei tudo isso. É só?

– Ainda não; vai ser necessário fazer doações patrióticas.

– De bom grado.

– E um juramento de ódio aos tiranos franceses e estrangeiros.

– De todo o meu coração. Obrigado por essas informações preciosas.

– Além disso, não se esqueça de escrever em letra legível seu nome e sobrenome à sua porta.

– Farei isso.

– Então pode ir, cidadão, está nos incomodando.

As garrafas estavam vazias.

– Adeus, cidadãos; muito obrigado pela gentileza.

E Hoffmann foi embora, ainda em companhia de seu cachimbo, mais aceso do que nunca.

Eis como entrou na capital da França republicana.

As palavras encantadoras "cais das flores" abriram-lhe o apetite. Hoffmann já imaginava um quartinho cujo terraço desse para esse maravilhoso cais das Flores.

Ele esquecia-se de dezembro e dos ventos brumosos, da neve e daquela morte passageira de toda a natureza. As flores acabavam de desabrochar em sua imaginação sob a fumaça de seus lábios; só via jasmins e rosas apesar do mau cheiro do subúrbio.

Quando soaram nove horas, ele chegou ao cais das Flores, que estava completamente escuro e deserto, como qualquer cais do norte no inverno. Todavia, aquela solidão naquela noite era mais escura e sensível do que em qualquer outro lugar.

Hoffmann estava com fome demais, com frio demais para filosofar no caminho; mas não havia hotéis naquele cais.

Erguendo os olhos, viu, afinal, na esquina do cais com a rue de Barillerie, uma grande lanterna vermelha, em cujos vidros tremulava uma luz suja.

A luminária estava suspensa e balançava na ponta de um poste de ferro, bem próprio, naqueles tempos de motim, para pendurar um inimigo político.

Hoffmann só viu essas palavras escritas em letras verdes no vidro vermelho:

Alojamento para viajantes a pé – Quartos e gabinetes mobiliados.

Bateu com vivacidade à porta de um corredor; a porta se abriu; o viajante entrou, vacilante.

Uma voz rude gritou-lhe:

– Feche a porta.

E um canzarrão, latindo, parecia dizer-lhe:

– Cuidado com as pernas!

Preço combinado com uma hospedeira bastante acolhedora, escolhido o quarto, Hoffmann viu-se proprietário de um dormitório e gabinete de quinze pés por oito, a trinta soldos por dia, que deveriam ser pagos todas as manhãs.

Hoffmann estava tão contente que pagou quinze dias de medo que lhe viessem contestar a posse daquele alojamento tão precioso.

Feito isso, deitou-se num leito bastante úmido; mas qualquer leito é um leito para um viajante de dezoito anos.

Ademais, como se mostrar difícil quando se tem a felicidade de se estar alojado no cais das Flores.

Ainda outro detalhe, Hoffmann evocou a lembrança de Antonia, e o paraíso não aparece sempre no lugar onde se evocam os anjos?

7

Como os museus e as bibliotecas estavam fechados, mas como a Praça da Revolução estava aberta

O quarto que durante quinze dias deveria servir de paraíso terrestre a Hoffmann abrigava uma cama, como já sabemos, uma mesa e duas cadeiras.

Enfeitavam a lareira dois vasos de vidro azul com flores artificiais. Um anjo da Liberdade desabrochava sob um sino de cristal no qual se refletiam sua bandeira tricolor e sua boina vermelha.

Um candelabro de cobre, um móvel de canto de madeira velha rosada, uma tapeçaria do século XII como cortina foram todos os móveis que apareceram com a primeira luz do dia.

A tapeçaria representava Orfeu tocando violino para reconquistar Eurídice, e o violino trouxe com toda a naturalidade Zacharias Werner à memória de Hoffmann.

"Querido amigo", pensou nosso viajante, "ele está em Paris, eu também; estamos juntos e vou vê-lo hoje ou amanhã, no máximo. Por onde começar? Como farei para não perder o tempo que o bom Deus me concede e para ver tudo na França? Há vários dias só vejo quadros vivos bem feios, vamos ao salão do Louvre do ex-tirano para lá ver todos os belos quadros que tinha, os Rubens, os Poussins. Vamos, depressa."

Ele levantou-se para examinar, enquanto isso, o quadro panorâmico de seu bairro.

Um céu cinzento, descolorido, a lama negra sob as árvores brancas, uma população ocupada, correndo, e um certo ruído, semelhante ao murmúrio de água correndo. Foi tudo o que descobriu.

Era pouco florido. Hoffmann fechou a janela, tomou o desjejum e saiu para encontrar o amigo Zacharis Werner.

Porém, no momento de partir em uma direção, lembrou-se de que Werner jamais mandara seu endereço, sem o qual seria difícil encontrá-lo.

Foi um bom desapontamento para Hoffmann.

Mas logo:

"Como sou bobo!", pensou. "O que eu gosto, Zacharias também gosta. Tenho vontade de ver pinturas, ele também deve ter tido vontade. Vou encontrá-lo ou encontrar sua pista no Louvre. Vamos ao Louvre."

Via-se o Louvre do parapeito. Hoffmann dirigiu-se para o monumento.

Mas com dor soube à porta que, desde que eram livres, os franceses não perdiam mais energia vendo as pinturas de escravos e que admitindo-se, o que não é provável, que a Comuna de Paris já não tivesse assado todos os maus quadros para acender as fundições de armas de guerra, se evitaria não alimentar com todo aquele óleo os ratos destinados à subsistência dos patriotas no dia em que os prussianos viessem a sitiar Paris.

Hoffmann sentiu o suor subir-lhe à testa; o homem que lhe falava daquele modo tinha uma certa maneira de falar que deixava claro sua importância.

Todos cumprimentavam aquele adivinho.

Hoffmann soube por um de seus assistentes que ele tivera a honra de falar com o cidadão Simon, governador das *crianças de França* e conservador dos museus reais.

"Não verei os quadros", suspirou. "Ah, que pena! Mas vou à biblioteca do falecido rei e, na falta de pinturas, verei as estampas, medalhas e manuscritos. Lá também verei o túmulo de Childerico, pai de Clóvis, e os globos celeste e terrestre do padre Coronelli."

Ao chegar, porém, Hoffmann teve a dor de ficar sabendo que, por considerar a ciência e a literatura uma fonte de corrupção e de falta de civismo, a nação francesa fechara todas as oficinas em que pretensos cientistas e pretensos literatos conspiravam, tudo isso por humanidade, para poupar o trabalho de guilhotinar aqueles pobres diabos. Além disso, mesmo sob o tirano, a biblioteca só abria duas vezes por semana.

Hoffmann teve de ir embora sem ver nada; teve até de se esquecer de pedir notícias de seu amigo Zacharias.

Mas, como era perseverante, teimou e quis ver o museu Saint-Avoye.

Disseram-lhe que o proprietário fora guilhotinado na antevéspera.

Foi até o Luxemburgo; mas o palácio tornara-se prisão.

Já sem força e coragem, tratou de retornar a seu hotel para descansar um pouco as pernas, sonhar com Antonia, com Zacharias e fumar na solidão um bom cachimbo de duas horas.

Mas, ó, prodígio! Aquele cais das Flores, tão calmo, tão deserto, estava recoberto por uma multidão que se agitava a vociferava de uma maneira pouco harmoniosa.

Hoffmann, que não era alto, nada via por cima dos ombros de toda aquela gente; apressou-se em abrir caminho por aquela multidão com seus cotovelos pontudos e voltar a seu quarto.

Postou-se junto à janela.

Todos os olhares voltaram-se de imediato para ele, e por um momento, Hoffmann ficou embaraçado, pois percebeu como havia poucas janelas abertas. No entanto, a curiosidade da assistência logo se desviou para outro ponto que não a janela de Hoffmann, e o jovem fez como os curiosos, olhou para o pórtico de uma grande edificação negra com o teto pontiagudo, cujo pequeno campanário encimava uma grande torre quadrada.

Hoffmann chamou a hospedeira.

– Cidadã – disse – que edifício é aquele, por favor?
– O palácio, cidadão.
– E o que se faz no palácio?
– No palácio da justiça, julga-se.
– Achei que não havia mais tribunais.
– Existe o tribunal revolucionário.
– Ah! É verdade... e toda essa gente?
– Está esperando a chegada das charretes.
– Como, das charretes? Não estou entendendo bem; desculpe-me, sou estrangeiro.
– Cidadão, as charretes são como os carros fúnebres para as pessoas que vão morrer.
– Ah, meu Deus!
– É, de manhã chegam os prisioneiros que vão ser julgados no tribunal revolucionário.
– Sim.
– Às quatro horas, todos os prisioneiros já foram julgados e são embarcados nas charretes que o cidadão Fouquier requisitou para eles.
– Quem é o cidadão Fouquier?
– O promotor público.
– Muito bem, e então?
– Então as charretes vão devagarinho até a praça da Revolução, onde a guilhotina fica o tempo todo.
– Que coisa!
– O quê? O senhor saiu e não foi ver a guilhotina! É a primeira coisa que os estrangeiros visitam quando chegam; parece que nós, os franceses, somos o único povo que tem guilhotinas.
– Parabéns, minha senhora.
– Chame-me de cidadã.
– Desculpe.
– Olhe, as charretes estão chegando...
– A senhora está se retirando, cidadã.
– Sim, não gosto mais de ver isso.

E a hospedeira retirou-se.

Hoffmann pegou seu braço com suavidade.

– Desculpe-me se lhe perguntar mais uma coisa – disse.

– Pergunte.

– Por que a senhora está dizendo que não gosta mais de ver isso? Eu diria eu *não* gosto.

– A história é a seguinte, cidadão. No início, guilhotinavam-se aristocratas muito malvados, ao que parece. Aquela gente andava com a cabeça tão erguida, parecia tão insolente, tão provocadora que a piedade não nos molhava os olhos com facilidade. Então se assistia a isso de bom grado. Era um belo espetáculo a luta dos corajosos inimigos da nação contra a morte. Mas eis que um belo dia vi subir na charrete um ancião cuja cabeça batia nas traves do veículo. Foi penoso. No dia seguinte, vi religiosas. Outro dia ainda vi uma criança de catorze anos e finalmente uma mocinha na charrete, com sua mãe na outra, e as duas pobres mulheres mandavam beijos uma à outra sem dizer nada. Estavam tão pálidas, seu olhar era tão sombrio, seu sorriso era tão fatal, aqueles dedos que se mexiam, solitários, para modelar o beijo na boca delas estavam tão trêmulos e tão irisados que jamais esquecerei esse espetáculo horrível, e jurei jamais me expor a vê-lo outra vez.

– Ah! Ah! – disse Hoffmann afastando-se da janela. – É assim?

– Sim, cidadão. Mas, o que está fazendo?

– Estou fechando a janela.

– Por quê?

– Para não ver.

– O senhor, um homem!

– Veja, cidadã, vim a Paris para estudar as artes e respirar o ar da liberdade. Muito bem! Se por infelicidade eu visse um desses espetáculos dos quais a senhora acaba de me falar, se eu visse uma moça ou uma mulher arrastada à morte lamentando a vida, cidadã, pensaria em minha noiva que amo e que talvez... Não, cidadã, não ficarei mais nesse quarto; a senhora tem algum outro que dê para os fundos da casa?

– Silêncio, cidadão, o senhor está falando alto demais; se um dos meus *officieux* o ouvirem...

– Seus *officieux*! O que é isso?

– É um sinônimo republicano para criado.

– E então, se seus criados me ouvirem, o que acontecerá?

– Acontecerá que daqui a três ou quatro dias, eu poderei vê-lo dessa janela em uma das charretes, às quatro horas da tarde.

Dizendo aquilo com mistério, a boa senhora desceu precipitadamente, e Hoffmann imitou-a.

Insinuou-se para fora da casa, decidido a fazer qualquer coisa para escapar do espetáculo popular.

Quando chegou à esquina do cais, o sabre dos policiais brilhou, ocorreu um movimento na multidão, as massas uivaram e começaram a correr.

Hoffmann alcançou a toda velocidade a rue Saint-Denis, na qual meteu-se como um louco; tal como um cabrito, deu muitas voltas por diversas ruazinhas e desapareceu no dédalo de ruelas que se embaralham entre o quais de la Ferraille e o mercado.

Enfim respirou vendo-se na rue de la Ferronnerie, onde, com a sagacidade do poeta e do pintor, adivinhou a praça célebre pelo assassinato de Henrique IV.

Depois, sempre andando, sempre buscando, chegou ao meio da rue Saint-Honoré. Por toda parte, as lojas se fechavam enquanto ele passava. Hoffmann admirou a tranqüilidade daquele bairro; as lojas não se fechavam sozinhas, as janelas de algumas casas cerravam-se com medida, como se tivessem recebido um sinal.

Logo Hoffmann obteve uma explicação para a manobra; viu os fiacres desviarem e tomar as ruas laterais; ouviu um galope de cavalos e reconheceu os guardas; em seguida, atrás dele, à primeira bruma da noite, entreviu uma confusão terrível de farrapos, de braços erguidos, de lanças brandidas e de olhos incandescentes.

Acima de tudo aquilo, uma charrete.

Daquele turbilhão que vinha em sua direção sem que ele pudesse esconder-se ou fugir, Hoffmann ouviu gritos tão agudos, tão lastimáveis, que até aquela noite nada de tão terrível já atingira seus ouvidos.

Na charrete havia uma mulher vestida de branco. Aqueles gritos exalavam dos lábios, da alma, de todo o corpo abalado da mulher.

Hoffmann sentiu as pernas sumirem debaixo de seu tronco. Aqueles urros haviam rompido os feixes nervosos. Ele caiu junto a uma pilastra, a cabeça encostada às venezianas ainda mal presas de uma loja, tanto fora precipitada a operação de fechamento.

A charrete passou em meio à sua escolta de bandidos e de mulheres horrorosas, seus satélites costumeiros; mas, coisa estranha! Toda aquela escória não fervilhava, todos aqueles répteis não coaxavam, apenas a vítima contorcia-se entre os braços de dois homens e gritava ao céu, à terra, aos homens e às coisas.

Hoffmann ouviu de repente em seu ouvido, pela fenda da veneziana, as seguintes palavras, pronunciadas tristemente pela voz de um homem jovem:

– Pobre Du Barry! Afinal está aqui!

– A senhora Du Barry! – exclamou Hoffmann – é ela, é ela que está passando naquela charrete!

– Sim, senhor – respondeu a voz baixa e queixosa no ouvido do viajante e tão perto através das tábuas que ele sentiu o sopro quente de seu interlocutor.

A pobre Du Barry mantinha-se ereta e estava agarrada

às traves moventes da charrete; seus cabelos castanhos, o orgulho de sua beleza, haviam sido cortados na nuca, mas caíam-lhe nas têmporas em longas mechas empapadas de suor; bela com seus grandes olhos perdidos, sua boca pequena, pequena demais para os terríveis gritos que lançava, a pobre mulher de tempos em tempos sacudia a cabeça em um movimento convulsivo para livrar o rosto dos cabelos que o mascaravam.

Quando passou diante da coluna ao pé da qual Hoffmann tombara, gritou: "Socorro! Salvem-me! Não fiz nenhum mal! Socorro!" e quase derrubou o assistente do carrasco que a segurava.

Aquele grito: Socorro!, não parou de urrá-lo em meio ao mais profundo silêncio dos assistentes. Aquelas fúrias, acostumadas a insultar os condenados corajosos, sentiam-se abaladas pelo impulso irresistível do terror de uma mulher; sentiam que suas vociferações não conseguiriam encobrir os gemidos daquela febre que beirava a loucura e atingia o sublime do terrível.

Hoffmann ergueu-se: não sentia mais o coração no peito; começou a correr atrás da charrete como os outros, nova sombra acrescentada àquela procissão de espectros que formavam a última escolta de uma favorita da realeza.

Ao vê-lo, a senhora Du Barry gritou de novo:

– A vida! A vida!... Doarei todos os meus bens à nação! Senhor!... Salve-me!

"Oh!", pensou o jovem, "ela falou comigo! Pobre mulher, cujos olhares valeram tanto, cujas palavras não tinham preço: ela falou comigo!"

Ele parou. A charrete acabava de alcançar a place de la Révolution. Na escuridão adensada por uma chuva fria, Hoffmann só distinguia duas silhuetas: uma branca, a da vítima, outra vermelha, o cadafalso.

Viu os carrascos arrastarem a roupa branca pela escada. Viu aquela forma atormentada se curvar para resistir, depois, de repente, em meio a seus gritos horríveis, a pobre mulher desequilibrou-se e caiu.

Hoffmann ouviu-a gritar: “Misericórdia, senhor carrasco, mais um minuto, senhor carrasco...” Só isso, a lâmina caiu, lançando um clarão vermelho.

Hoffmann rolou no fosso que ladeia a praça.

Era um belo quadro para um artista que fora à França buscar impressões e idéias.

Deus acabara de mostrar-lhe o castigo cruel demais daquela que contribuíra para perder a monarquia.

A morte covarde de Du Barry pareceu-lhe a absolvição da pobre mulher. Ela jamais tivera orgulho pois nem mesmo sabia morrer! Saber morrer naquela época era infelizmente a virtude suprema daqueles que jamais haviam conhecido o vício.

Hoffmann refletiu naquele dia que, se viera à França para ver coisas extraordinárias, sua viagem até que obtivera sucesso.

Então, um pouco consolado pela filosofia da história:

“Resta o teatro”, disse para si mesmo, “vamos ao teatro. Sei que após a atriz que acabo de ver, as da ópera ou da tragédia não me impressionarão, mas serei indulgente. Não se deve pedir demais das mulheres que só estão morrendo de mentira.

A única coisa que vou tratar de fazer é conhecer muito bem a localização dessa praça para jamais voltar a ela enquanto viver.”

8
“O julgamento de Páris”

Hoffmann era homem de transições bruscas. Após a place de la Révolution e do povo tumultuoso amontoado em torno do cadafalso, do céu escuro e do sangue, ele precisava do brilho dos lustres, da multidão alegre, das flores, enfim, da vida. Não tinha certeza absoluta de que o espetáculo ao qual assistira se apagaria de sua mente por esse meio, mas queria pelo menos proporcionar distração a seus olhos e provar-se que ainda havia no mundo gente que vivia e ria.

Encaminhou-se portanto à Ópera; mas a ela chegou sem saber como. Sua determinação caminhara à sua frente, e ele seguira-a como um cego segue seu cão, enquanto sua mente viajava por um caminho oposto, por impressões totalmente contrárias.

Como na praça da Revolução, havia uma multidão no bulevar em que se encontrava o teatro da Ópera naquela época, no lugar onde é hoje o teatro da Porte-Saint-Martin.

Hoffmann parou diante daquela multidão e examinou o cartaz.

A peça que estava sendo apresentada era *O julgamento de Páris*, balé-pantomima em três atos, de Gardel, o jovem, filho do mestre de dança de Maria Antonieta e que mais tarde se tornou o mestre dos balés do imperador.

– O *julgamento de Páris* – murmurou o poeta fixando o cartaz como que para gravar em sua mente, com o auxílio dos olhos e da audição, o significado daquelas três palavras, *O julgamento de Páris*!

Mas por mais que repetisse as sílabas que compunham o título do balé, elas lhe pareciam sem sentido, tanto sua mente tinha dificuldade de rejeitar as lembranças terríveis das quais estava cheia, para dar lugar à peça inspirada a Gardel, o jovem, pela *Ilíada* de Homero.

Que época estranha aquela em que, em um mesmo dia, era possível ver uma condenação pela manhã, uma execução às quatro horas, uma dança à noite e onde se corria o risco de ser detido voltando-se de todas essas emoções!

Hoffmann compreendeu que, se uma outra pessoa não lhe dissesse o que seria representado no teatro, ele não conseguiria sabê-lo e talvez ficasse louco diante daquele cartaz.

Aproximou-se portanto de um senhor gordo que estava na fila com a mulher, pois em todas as épocas os senhores gordos têm mania de fazer fila com suas respectivas mulheres e disse-lhe:

– Senhor, o que está passando hoje à noite?

– Leia o cartaz, senhor – respondeu o homem gordo. – Estão representando *O julgamento de Páris*.

– O julgamento de Páris... – repetiu Hoffmann. – Ah, sim, o julgamento de Páris, sei o que é.

O senhor gordo olhou para aquele perguntador estranho e deu de ombros com ares do mais profundo desprezo por aquele jovem que, naquela época completamente mitológica, conseguira esquecer por um instante o que era o julgamento de Páris.

– O senhor quer a explicação do balé, cidadão? – disse um comerciante de libretos aproximando-se de Hoffmann.

– Sim, por favor!

Era para nosso herói mais uma prova de que ia ver o espetáculo de que tinha bastante necessidade.

Ele abriu o libreto e deu uma olhada.

O libreto era impresso de forma atraente em um belo papel branco e enriquecido por um prefácio do autor.

"Que coisa maravilhosa, o homem!", pensou

Hoffmann dando uma olhada nas poucas linhas daquele prefácio, linhas que ainda não lera, mas que ia ler, "e como, ao mesmo tempo que participa da massa comum dos homens, ele caminha sozinho, egoísta e indiferente, no caminho de seus interesses e de suas ambições. Desse modo, aqui está um homem, Gardel, o jovem, que estreou com esse balé a 5 de março de 1793, ou seja, seis semanas após um dos maiores acontecimentos do mundo: pois bem, no dia em que esse balé foi apresentado houve emoções particulares dentro das emoções gerais; o coração bateu-lhe quando o aplaudiram; e, se naquele momento viessem lhe falar daquele acontecimento que ainda abalava o mundo e mencionassem o rei Luís XVI, ele exclamaria: Luís XVI, de quem o senhor está falando? Depois, como se a partir do dia em que entregara seu balé ao público, a terra inteira só devesse se preocupar com esse acontecimento coreográfico, ele compôs um prefácio à explicação de sua pantomima. Muito bem, leiamos seu prefácio e vejamos se, escondendo-se o dia em que foi escrito, aí encontrarei o vestígio das coisas em meio das quais nasceu."

Hoffmann apoiou os cotovelos na balaustrada do teatro e leu o seguinte:

"Sempre observei nos balés de ação que os efeitos de decoração e os divertimentos variados e agradáveis era o que mais atraía a multidão e os aplausos mais vivos."

"É preciso reconhecer que esse homem está fazendo uma observação curiosa", pensou Hoffmann, sem poder evitar sorrir ao ler aquela primeira ingenuidade. Como! Ele observou que o que atrai nos balés são os efeitos das decorações e os divertimentos variados e agradáveis. Como isso é polido para os senhores Haydn, Pleyel e Méhul, que fizeram a música de *O julgamento de Páris*! Prossigamos."

"A partir dessa observação, busquei um tema que pudesse valorizar os grandes talentos que só a Ópera de Paris possui na dança e que me permitiu estender as idéias que o acaso poderia me oferecer. A história poética é a disposição inesgotável que o mestre de balé deve cultivar; esse terreno não deixa de ser espinhoso; mas deve-se saber afastar os espinhos para colher a rosa."

– Ah, vejam só! esta é uma frase que merece ser emoldurada! – exclamou Hoffmann. – Só na França se escrevem coisas assim.

E ele tratou de examinar o libreto, preparando-se para continuar aquela leitura interessante que começava a alegrá-lo; seu espírito, porém, desviado de sua verdadeira preocupação, a ela voltava aos poucos; as letras embaralharam-se diante dos olhos do sonhador que deixou cair as mãos que seguravam *O julgamento de Páris*, fixou os olhos no chão e murmurou:

– Pobre mulher!

Era a sombra da senhora Du Barry que mais uma vez passava pela lembrança do jovem.

Então ele sacudiu a cabeça como que para afugentar com violência as realidades sombrias e, colocando no bolso o libreto de Gardel, o jovem, comprou um bilhete e encontrou no teatro.

A sala estava cheia e resplandecente de flores, pedrarias, seda e ombros nus. Um zumbido imenso, zumbido de mulheres perfumadas, de conversas frívolas, semelhante ao ruído que um milhão de moscas fariam voando em uma caixa de papel, e cheio daquelas palavras que deixam na mente o mesmo vestígio que as asas de borboletas nos dedos das crianças que as pegam e que, dois minutos depois, sem saber o que fazer com elas, erguem as mãos para cima e devolvem-lhes a liberdade.

Hoffmann sentou-se na platéia e, dominado pela atmosfera ardente da sala, por um instante conseguiu acreditar que estava ali desde de manhã e que o sombrio falecimento a que seu pensamento voltava a todo momento era um pesadelo e não uma realidade. Então sua memória que, como a memória de todos os homens, tinha dois vidros refletores, um no coração, outro no espírito, voltou-se insensivelmente, e por meio da gradação natural das impressões alegres, para aquela doce mocinha que deixara lá longe e cujo medalhão ele sentia bater como outro coração nos batimentos do seu. Olhou para todas as mulheres que o cercavam, para todos aqueles ombros brancos, para todos aqueles cabelos louros e castanhos, para todos aqueles braços flexíveis, para todas aquelas mãos brincando com os ramos de um leque ou ajustando sedutoramente as flores de um penteado, e ele sorriu para si mesmo pronunciando o nome de Antonia, como se aquele nome bastasse para fazer qualquer comparação desaparecer entre a que carregava e as mulheres que se encontravam ali e para transportá-lo para um mundo de lembranças mil vezes mais encantadoras que todas aquelas realidades, por mais belas que fossem. Depois, como se não fosse o suficiente, como se temesse que o retrato que seu pensamento lhe traçava através da distância se apagasse no ideal por onde lhe aparecia, Hoffmann enfiou com suavidade a mão no peito, de onde pegou o medalhão como uma moça amedrontada pega um pássaro em um ninho e, após ter se certificado de que ninguém poderia vê-lo e com o olhar eclipsar a doce imagem que ele pegava na mão, levou com suavidade o retrato da jovem até a altura de seus olhos, por um instante adorou-a com o olhar e, em seguida, após pousá-lo piedosamente sobre seus lábios, escondeu-o de novo bem perto de seu coração, sem que ninguém pudesse adivinhar a alegria que acabara de sentir, fazendo o movimento de um homem que põe a mão em seu colete, esse jovem espectador de cabelos pretos e rosto pálido.

Naquele momento, deram o sinal de início do espetáculo, e as primeiras notas da abertura começaram a correr alegremente pela orquestra, como tentilhões lutadores em um bosquete.

Hoffmann sentou-se e, tratando de voltar a ser um homem igual aos outros, ou seja, um espectador atento, abriu seus dois ouvidos à música.

Porém, ao final de cinco minutos, não ouvia mais e nem queria mais ouvir: não era com aquele tipo de música que se chamava a atenção de Hoffmann, ainda mais porque a ouvia duas vezes, já que um vizinho, provavelmente freqüentador assíduo da ópera, e admirador de Haydn, Pleyel e Méhul, acompanhava com uma vozinha em meio-tom de falsete e com perfeita exatidão as várias melodias daqueles senhores. A esse acompanhamento com a boca, o diletante acrescentava outro acompanhamento com os dedos, batendo os compassos com encantadora destreza com suas unhas longas e pontiagudas na tabaqueira que segurava na mão esquerda.

Com aquele hábito de curiosidade, que é naturalmente a primeira qualidade de todos os observadores, Hoffmann começou a examinar aquele personagem que formava uma orquestra particular inserida na geral.

Na verdade, o personagem merecia ser examinado.

Imaginem um homenzinho de terno, colete e calças negras, camisa e gravata brancas, mas de um branco mais do que branco, quase tão cansativo para os olhos quanto o reflexo prateado da neve. Coloque no meio das mãos desse homenzinho, mãos magras, transparentes como cera e destacando-se das calças negras como se fossem iluminadas por dentro, coloquem punhos de cambraia fina, plissadas com o maior cuidado e flexíveis como flores de lis, e terão o conjunto do corpo. Examinem agora a cabeça, e examinem-na como Hoffmann, ou seja, com uma curiosidade mesclada de surpresa. Imaginem um rosto oval, a testa polida como marfim, os cabelos raros e ruivos crescendo a intervalos como tufos de arbustos em uma planície. Suprimam as sobrancelhas e, abaixo do lugar onde estas deveriam estar, façam dois buracos, nos quais inserirão olhos frios como vidro, quase sempre fixos e que acreditaríamos tanto mais inanimados quanto mais procurássemos neles os pontos luminosos que Deus pôs nos olhos como uma faísca de foco de vida. Os olhos são azuis como a safira, mas sem doçura ou dureza. Enxergam, é certeza, mas não olham. Um nariz seco, delgado, longo e pontudo, uma boca pequena, os lábios entreabertos sobre dentes não brancos, mas da mesma cor cerosa da pele, como se tivessem recebido uma leve infiltração de sangue pálido e com ele se houvessem colorido, um queixo pontudo, barbeado com o maior cuidado, maçãs do rosto salientes, faces encovadas cada uma por uma cavidade onde daria para enfiar uma noz, esses eram os traços característicos do espectador vizinho de Hoffmann.

O homem podia ter tanto trinta quanto cinqüenta anos. Se tivesse oitenta, não seria extraordinário; se tivesse só doze, não seria inverossímil. Parecia ter vindo ao mundo tal qual era naquele momento. Provavelmente jamais fora mais jovem e era possível que parecesse mais velho.

Era provável que, ao tocar a sua pele, sentíssemos a mesma sensação de frio que ao tocar a pele de uma serpente ou de um morto.

Mas, vejam só, ele gostava muito de música.

De vez em quando, sua boca afastava-se um pouco mais sob uma pressão de volúpia de amigo da música, e três vinquinhos, identicamente os mesmos de cada lado, descreviam um semicírculo na extremidade de seus lábios, onde permaneciam impressos por cinco minutos, após o que se apagavam pouco a pouco como os círculos feitos por uma pedra que cai na água e que se ampliam até se confundirem por completo com a superfície.

Hoffmann não se cansava de examinar o homem, que se sentia examinado, mas que nem por isso se mexia mais. A imobilidade era tal que nosso poeta, que já tinha naquela época o germe da imaginação que geraria *Coppelius*, apoiou as duas mãos no encosto da poltrona diante dele, inclinou o corpo para a frente e, virando a cabeça para a direita, tentou encarar o rosto que só vira até então de perfil.

O homenzinho olhou para Hoffmann sem espanto, sorriu-lhe, esboçou um pequeno cumprimento amigável e continuou com os olhos fixos no mesmo ponto, ponto invisível para qualquer outro além dele, e acompanhando a orquestra.

– Que estranho! – comentou Hoffmann tornando a encostar-se. – Eu juraria que não estava vivo.

E como se, embora tivesse visto a cabeça de seu vizinho se mexer, o jovem não estivesse bem convencido de que o resto do corpo era animado, lançou de novo os olhos sobre as mãos daquele personagem. Então uma coisa o impressionou: é que, na tabaqueira que ele manuseava, tabaqueira de ébano, brilhava uma caveirinha de diamantes.

Tudo naquele dia deveria adquirir uma coloração fantástica aos olhos de Hoffmann; mas ele estava decidido a alcançar seus objetivos e, inclinando-se para baixo como se inclinara para frente, fixou a tabaqueira a ponto de seus lábios quase tocarem as mãos daquele que a segurava.

Assim examinado e vendo que sua tabaqueira provocava um interesse tão grande em seu vizinho, o homem passou-a silenciosamente a Hoffmann para que ele pudesse contemplá-la à vontade.

Hoffmann pegou-a, virou-a e revirou-a vinte vezes, depois abriu-a.

Dentro havia tabaco!

9
Arsène

Após ter examinado a tabaqueira com a maior atenção, Hoffmann devolveu-a a seu proprietário agradecendo com um sinal silencioso da cabeça, ao qual o proprietário respondeu por um sinal igualmente cortês, porém, se possível, ainda mais silencioso.

"Agora vejamos se ele fala", quis saber Hoffmann e, voltando-se para o vizinho, disse-lhe:

– Por favor, desculpe minha indiscrição, senhor, mas essa caveirinha de diamantes que orna sua tabaqueira a princípio me espantou, pois é um ornamento raro em uma caixa de tabaco.

– De fato, acho que é único – replicou o desconhecido com uma voz metálica, cujos sons imitavam bastante o ruído de moedas de prata que se empilham umas sobre as outras; – ela foi-me ofertada por herdeiros gratos de cujo pai eu tratei.

– O senhor é médico?

– Sou, senhor.

– E o senhor curou o pai desses jovens?

– Ao contrário, senhor, tivemos a infelicidade de perdê-lo.

– Não entendo o termo *gratidão*.

O médico começou a rir.

Suas respostas não o impediam de continuar cantarolando e, enquanto cantarolava:

– É – retomou – acho que de fato matei o velho.

– Como, matou?

– Testei nele um novo remédio. Oh, meu Deus, ele estava morto depois de uma hora. É mesmo bem engraçado.

E tornou a cantarolar.

– O senhor parece gostar de música – comentou Hoffmann.

– Principalmente desta; gosto, sim senhor.

"Que diabos!", pensou Hoffmann. "Esse homem se engana em música como em medicina."

Naquele momento, a cortina ergueu-se.

O estranho médico aspirou tabaco e acomodou-se ao máximo em sua poltrona, como um homem que nada quer perder do espetáculo ao qual vai assistir.

No entanto, disse a Hoffmann, como se refletisse:

– O senhor é alemão?

– Sou.

– Reconheci seu país pelo seu sotaque. Belo país, sotaque horroroso.

Hoffmann inclinou-se diante da frase que era metade cumprimento, metade crítica.

– E por que veio para a França?

– Para ver.

– E o que já viu?

– Vi guilhotinarem, senhor.

– O senhor esteve hoje na place de la Révolution?

– Estive.

– Então assistiu à morte da senhora Du Barry?

– Assisti – suspirou Hoffmann.

– Eu a conheci muito bem – continuou o médico com um olhar de confidência e que exalava o termo *conheci* até o final de sua significação. – Era uma bela moça, meu Deus!

– O senhor também cuidou dela?

– Não, mas tratei de seu negro Zamore.

– Miserável! Disseram-me que foi ele quem denunciou sua senhora.

– De fato, ele era bem patriota, o negrinho.

– O senhor deveria ter feito com ele o que fez com o velho, o senhor sabe, o velho da tabaqueira.

– Para quê? Ele não tinha herdeiros.

E o riso do doutor assobiou novamente.

– E o senhor, não assistiu à execução? – retomou Hoffmann, que se sentia presa de uma necessidade irrestível de falar da pobre criatura cuja imagem sangrenta não o abandonava.

– Não. Ela emagreceu?

– Quem?

– A condessa.

– Não sei dizer, senhor.

– Por quê?

– Porque naquela charrete foi a primeira vez que a vi.

– Que pena. Gostaria de saber, pois a conheci bem gorda; mas amanhã vou examinar seu corpo. Ah, veja isso!

E, ao mesmo tempo o médico apontava para o palco onde, naquele momento, Vestris, que desempenhava o papel de Páris, aparecia no monte Ida e fazia todo tipo de galanteria para a ninfa Oenone.

Hoffmann olhou para o que o seu vizinho estava lhe apontando; porém, após ter se certificado de que aquele médico sombrio prestava de fato atenção no palco e que o que ele acabara de ouvir e dizer não deixara qualquer vestígio em sua mente:

"Seria curioso ver esse homem chorar", disse Hoffmann para si mesmo.

– O senhor conhece o tema da peça? – tornou a falar o médico após um silêncio de alguns minutos.

– Não, senhor.

– Oh, é muito interessante. Há até situações tocantes. Um de meus amigos e eu, outro dia, ficamos com os olhos rasos d'água.

– Um de meus amigos – murmurou o poeta; quem poderia ser amigo daquele homem? Talvez um coveiro.

– Ah, bravo, bravo, Vestris – foi o gritinho do homenzinho batendo com as mãos.

O médico escolhera o momento em que Páris, como dizia o libreto que Hoffmann comprara na porta, pegara sua lança e precipitara-se para socorrer os pastores que fugiam apavorados diante de um terrível leão, para manifestar sua admiração.

– Não sou curioso, mas gostaria de ver o leão.

Assim terminava o primeiro ato.

Então o doutor levantou-se, virou-se, encostou-se na poltrona diante da sua e, substituindo sua tabaqueira por um binóculo de teatro, começou a espreitar as mulheres que estavam na sala.

Hoffmann acompanhou maquinalmente a direção do binóculo e observou surpreso que a pessoa sobre a qual ele se fixava estremecia na hora e voltava de imediato os olhos para aquele que a espreitava, como se fosse obrigada a isso por uma força invisível. Ficava nessa posição até o doutor deixar de espreitá-la.

– Esse binóculo também foi presente de algum herdeiro, senhor? – perguntou Hoffmann.

– Não, foi presente do senhor de Voltaire.

– Então o senhor o conheceu?

– Muito, éramos muito ligados.

– O senhor era seu médico?

– Ele não acreditava na medicina. É verdade que ele não acreditava em muita coisa.

– É verdade que ele morreu se confessando?

– Ele, senhor, ele! Arouet! Imagine! Não só não se confessou como também recebeu muito bem o padre que veio assisti-lo. Posso lhe falar isso com conhecimento de causa, pois estava lá.

– E o que aconteceu?

– Arouet ia morrer; Tersac, seu cura, chega e, em primeiro lugar lhe diz, como homem que não tem tempo a perder: “Senhor, reconhece a trindade de Jesus Cristo?”

"Senhor, deixe-me morrer tranqüilo, por favor", responde-lhe Voltaire.

"Mas senhor", continua Tersac, "é importante que eu saiba se reconhece Jesus Cristo como filho de Deus."

"Em nome do diabo!", exclama Voltaire, "não me fale mais desse homem." E, reunindo as poucas forças que lhe restavam, dá um soco na cabeça do cura e morre. Como ri, meu Deus, como ri!

– De fato é engraçado – disse Hoffmann, a voz desdenhosa – e é bem assim que deveria morrer o autor de *A donzela.*

– Ah, sim, *A donzela*! – exclamou o homem negro –, que obra-prima! Senhor, que coisa admirável! Só conheço um livro que rivaliza com este.

– Qual?

– *Justine*, do senhor de Sade; o senhor conhece *Justine*?

– Não, senhor.

– E o marquês de Sade?

– Também não.

– Sabe, senhor – tornou o doutor entusiasmado – *Justine* é o que se pode ler de mais imoral, é Crébillon filho absolutamente nu, é maravilhoso. Cuidei de uma moça que o leu.

– E ela morreu como seu velho?

– Sim, senhor, mas morreu bem feliz.

E os olhos do médico cintilaram de prazer à lembrança das causas daquela morte.

Soou o sinal de início do segundo ato. Hoffmann não ficou aborrecido, seu vizinho lhe dava medo.

– Ah! – disse o médico sentando-se e, com um sorriso de satisfação: – Vamos ver Arsène.

– Quem é Arsène.

– O senhor não a conhece?

– Não, senhor.

– Ah, então o senhor não conhece nada, meu jovem? Arsène é Arsène, é tudo o que se pode dizer. Aliás, o senhor vai ver.

E, antes que a orquestra entoasse uma única nota, o médico recomeçou a cantarolar a introdução do segundo ato.

A cortina ergueu-se.

O cenário apresentava um berço de flores e verde atravessado por um riacho cuja nascente se situava ao pé de um rochedo.

Hoffmann deixou a cabeça cair em suas mãos.

Decididamente o que via, o que ouvia não conseguia afastar o doloroso pensamento e a lembrança lúgubre que o haviam levado para onde estava.

"O que poderia mudar?", pensou voltando bruscamente às impressões do dia, "o que mudaria no mundo se deixassem a pobre mulher viva? Que mal haveria se aquele coração continuasse a bater, aquela boca continuasse a respirar? Que desgraça ocorreria? Por que interromper de repente tudo aquilo? Com que direito se detém a vida no meio de seu impulso? Ela estaria bem no meio de todas essas mulheres, enquanto a essa hora, seu pobre corpo, o corpo que foi amado por um rei, jaz na lama de um cemitério, sem flores, sem cruz, sem cabeça. Como gritava, meu Deus! Como gritava! Depois, de repente..."

Hoffmann escondeu a testa nas mãos.

"O que eu estou fazendo aqui?", perguntou-se. "Oh, vou embora."

E de fato talvez tivesse ido embora se, quando levantou a cabeça, não visse no palco uma dançarina que não aparecera no primeiro ato e que a sala inteira contemplava sem se mexer, segurando a respiração.

– Oh! como essa mulher é bela! – exclamou Hoffmann alto o suficiente para que seus vizinhos e a própria dançarina o ouvissem.

Aquela que despertara tanta admiração súbita olhou para o jovem que involuntariamente lançara aquela exclamação, e Hoffmann achou que ela lhe agradeceu o elogio com o olhar.

Enrubesceu e estremeceu como se uma faísca elétrica o tivesse tocado.

Arsène, pois era ela, isto é, a dançarina cujo nome o velhinho pronunciara. Arsène era realmente uma criatura bem admirável e de uma beleza que nada tinha a ver com a beleza tradicional.

Era alta, admiravelmente bem-feita, e de uma palidez transparente sob o *rouge* que cobria suas faces. Seus pés eram bem pequeninos e, quando ela tornava a cair sobre o assoalho do palco, parecia que as pontas de seus pés estavam pousando em uma nuvem, pois não se ouvia o mais leve ruído. Era tão esguia, tão flexível que nem mesmo uma serpente giraria sobre si mesma como aquela mulher fazia. Toda vez que dobrando sua cintura inclinava-se para trás, parecia que seu corpete ia estourar, e adivinhava-se na energia de sua dança e na segurança de seu corpo, tanto a certeza de uma beleza completa quanto aquela natureza ardente que, como a da Messalina antiga, talvez às vezes se cansasse, mas jamais se satisfazia. Ela não sorria como de hábito sorriem as dançarinas, seus lábios de púrpura não se entreabriam quase nunca, não porque tivesse dentes feios a esconder, não, porque, no sorriso que dirigira a Hoffmann quando ele a admirara com tanta ingenuidade em voz tão alta, nosso poeta conseguiu ver uma fileira dupla de pérolas tão brancas, tão puras, que provavelmente ela as escondia por trás dos lábios para que o ar não as embaçasse. Nos seus cabelos negros e reluzentes com reflexos azuis estavam enroladas grandes folhas de acanto e pendurados cachos de uvas, cuja sombra corria sobre seus ombros nus. Quanto aos olhos, eram grandes, límpidos, negros, brilhantes a ponto de iluminarem tudo em torno deles e, se dançasse na escuridão, Arsène iluminaria o lugar onde estivesse dançando. O que aumentava ainda mais a originalidade da moça é que, sem qualquer razão, usava naquele papel de ninfa, pois ela representava, ou melhor, dançava uma ninfa, ela usava, como dizíamos, um colarzinho de veludo negro fechado por um broche, ou pelo menos por um objeto que parecia ter a forma de broche, e que, feito de diamantes, lançava clarões ofuscantes.

O médico olhava para aquela mulher com o olhar mais atento possível, e sua alma, a alma que poderia ter, parecia suspensa no vôo da jovem. É bem evidente que, enquanto ela dançava, ele não respirava.

Então Hoffmann pôde observar uma coisa curiosa: fosse ela para a direita, para a esquerda, para frente ou para trás, jamais os olhos de Arsène abandonavam a linha dos olhos do doutor: uma correlação visível estabelecera-se entre os dois olhares. Mais, Hoffmann via com distinção os raios lançados pelo broche do colar de Arsène e os da caveira do médico se encontrarem a meio caminho em linha reta, chocar-se, rejeitar-se e voltar a jorrar num mesmo feixe feito de milhares de faíscas brancas, vermelhas e douradas.

– O senhor me emprestaria seu binóculo? – pediu Hoffmann, ofegante e sem virar a cabeça, pois também a ele era impossível deixar de contemplar Arsène.

O doutor estendeu a mão em direção a Hoffmann sem fazer o menor movimento com a cabeça, de forma que as mãos dos dois espectadores se procuraram por alguns instantes no vazio antes de se encontrar.

Finalmente Hoffmann pegou o binóculo ao qual colou os olhos.

– É estranho – murmurou.

– O quê? – perguntou o doutor.

– Nada, nada – retorquiu Hoffmann, que queria

prestar toda a atenção no que estava vendo; na realidade, o que via era estranho.

O binóculo aproximava tanto os objetos de seus olhos que por duas ou três vezes Hoffmannn estendeu a mão, acreditando alcançar Arsène, que não parecia mais estar no final da lente que a refletia, mas entre as duas lentes do binóculo. Nosso alemão, portanto, não perdia nenhum detalhe da beleza da dançarina, e seus olhares, já tão brilhantes de longe, cercavam sua testa com um círculo de fogo e faziam o sangue ferver nas veias de suas têmporas.

A alma do jovem provocava um barulho assustador em seu corpo.

– Quem é essa mulher? – disse, a voz fraca, sem largar o binóculo e sem se mexer.

– É Arsène, eu já lhe disse – replicou o doutor, do qual apenas os lábios pareciam vivos e cujo olhar imóvel permanecia fixo na dançarina.

– Com certeza essa mulher tem um amante?

– O quê?

– Que ela ama.

– Dizem que sim.

– E ele é rico?

– Muito rico.

– Quem é?

– Olhe para a esquerda do proscênio do térreo.

– Não consigo virar a cabeça.

– Faça um esforço.

Hoffmann fez um esforço tão doloroso que deu um grito, como se os nervos de seu pescoço tivessem se transformado em mármore e se tivessem quebrado naquele momento.

Olhou para o proscênio indicado.

Naquele proscênio só havia um homem, mas esse homem, acocorado como um leão no parapeito de veludo, parecia encher sozinho aquele proscênio.

Era um homem de trinta e dois ou trinta e três anos, o rosto lavrado pelas paixões; parecia que não o sarampo, mas a erupção de um vulcão escavara os vales cujas profundezas se entrecruzavam naquela carne completamente transtornada. Seus olhos deviam ser pequenos, mas haviam se aberto por uma espécie de dilaceramento da alma. Ora faltava-lhes vigor e esvaziavam-se como uma cratera extinta, ora vertiam chamas como uma cratera irradiante. Não aplaudia aproximando as mãos uma da outra. Aplaudia batendo no parapeito e, a cada aplauso, parecia abalar a sala.

– Oh – disse Hoffmann – é um homem aquilo que vejo ali?

– Sim, sim, é um homem – respondeu o homenzinho negro. – É um homem e até um homem orgulhoso.

– Como se chama?

– O senhor não o conhece?

– Claro que não, só cheguei ontem.

– Ora, é Danton.

– Danton! – estremeceu Hoffmann. – Oh, oh, é ele o amante de Arsène?

– É o amante dela.

– E com certeza a ama?

– Com loucura. Seu ciúme é feroz.

Contudo, por mais interessante que fosse Danton, Hoffmann já tornara a olhar para Arsène, cuja dança silenciosa adquiria um aspecto fantástico.

– Mais uma informação, senhor.

– Fale.

– Qual a forma do fecho de seu colar?

– É uma guilhotina.

– Uma guilhotina!

– Isso mesmo. Fazem algumas encantadoras, e todas as nossas elegantes usam ao menos uma. A de Arsène, foi Danton quem a deu a ela.

– Uma guilhotina, uma guilhotina no pescoço de uma dançarina! – repetiu Hoffmann, que sentia seu cérebro inchar. – Uma guilhotina, por quê?

E nosso alemão, que poderia ser confundido com um louco, alongava os braços à sua frente, como que para agarrar um corpo, pois, por um estranho efeito ótico, a distância que o separava de Arsène desaparecia em alguns momentos, e parecia-lhe sentir o hálito da dançarina em sua testa e ouvir a respiração ardente daquele peito, cujos seios, seminus, erguiam-se como que sob um abraço de prazer. Hoffmann estava naquele estado de exaltação em que parece que se está respirando fogo e em que se teme que os sentidos irão fazer o corpo explodir.

– Chega, chega! – dizia.

Mas a dança continuava, e a alucinação era tal que, confundindo suas duas impressões mais fortes do dia, a mente de Hoffmann mesclava a essa cena a lembrança da place de la Révolution, e ora acreditava estar vendo a senhora Du Barry, pálida, a cabeça cortada, dançando no lugar de Arsène, ora Arsène chegar dançando até o pé da guilhotina e até as mãos do carrasco.

Na imaginação exaltada do jovem misturavam-se flores e sangue, dança e agonia, vida e morte.

Porém o que dominava tudo aquilo era a atração elétrica que o empurrava para aquela mulher. Toda vez que aquelas duas pernas delgadas passavam diante de seus olhos, toda vez que aquela saia transparente se erguia um pouco mais, um frêmito percorria todo o seu ser, seus lábios secavam, seu hálito ardia, e o desejo nele entrava como entra em um homem de vinte anos.

Naquele estado, Hoffmann só tinha um refúgio, o retrato de Antonia, o medalhão que carregava no peito, o amor puro para opor ao amor sensual: era a força da lembrança casta a colocar diante da realidade exigente.

Ele agarrou o retrato e levou-o aos lábios; mas, mal acabara de fazer o movimento, ouviu o riso forçado agudo de seu vizinho, que o olhava com um ar zombeteiro.

– Deixe-me sair – exclamou – deixe-me sair; não posso mais ficar aqui!

E, como um louco, abandonou a platéia, esmagando os pés, atingindo as pernas dos tranqüilos espectadores, que protestaram contra aquele excêntrico que se dava ao luxo de sair no meio de um balé.

10

A SEGUNDA REPRESENTAÇÃO DO "JULGAMENTO DE PÁRIS"

O impulso de Hoffmann, porém, não o levou muito longe. O jovem parou na esquina da rue Saint-Martin.

Estava ofegante, o suor escorria de sua testa.

Passou a mão esquerda na testa, apoiou a mão direita no peito e respirou.

Naquele momento, tocaram-lhe o ombro.

Ele estremeceu.

– Ora, que coisa, é ele! – disse uma voz.

Ele voltou-se e soltou um grito.

Era seu amigo Zacharias Werner.

Os dois amigos jogaram-se um nos braços do outro.

Essas duas perguntas cruzaram-se:

– O que você está fazendo aqui?

– Onde você vai?

– Cheguei ontem – disse Hoffmann – vi guilhotinarem a senhora Du Barry e, para me distrair, fui à Ópera.

– Já eu cheguei há seis meses, há cinco vejo guilhotinarem todos os dias vinte ou vinte e cinco pessoas e, para me distrair, vou jogar.

– Ah!

– Você vem comigo?

– Não, obrigado.

– Faz muito mal, porque estou com sorte; com sua sorte habitual, ganharia uma fortuna. Você devia estar se aborrecendo muito na Ópera, você que está acostumado à música de verdade; venha comigo, vou levá-lo para ouvi-la.

– Música?

– Sim, música de ouro; sem contar que no lugar para

onde estou indo, todos os prazeres estão reunidos: mulheres encantadoras, jantares deliciosos, um jogo impiedoso!

– Desculpe, amigo, é impossível! Prometi, mais do que isso, jurei.

– A quem?

– A Antonia.

– Então a conheceu?

– Eu a amo, amigo, a adoro.

– Ah, compreendo, foi isso que o atrasou, e você lhe jurou?

– Jurei que não jogaria e...

Hoffmann hesitou.

– E o que mais?

– E que permaneceria fiel a ela – balbuciou.

– Então não pode ir ao 113?

– O que é o 113?

– É a casa de que eu estava falando há pouco; eu, como não jurei nada, vou até lá. Adeus, Theodor.

– Adeus, Zacharias.

E Werner afastou-se, enquanto Hoffmann permanecia pregado no lugar.

Quando Werner estava a uns cem passos de distância, Hoffmann lembrou-se de que se esquecera de pedir o endereço de Zacharias e que o único endereço que este lhe dera fora o da casa de jogo.

Porém esse endereço estava escrito no cérebro de Hoffmann como na porta da casa fatal, em números de fogo!

No entanto, o que acabara de acontecer acalmara um pouco os remorsos de Hoffmann. A natureza humana é feita assim, sempre indulgente consigo mesma, mesmo que sua indulgência seja egoísmo.

Ele acabara de sacrificar o jogo por Antonia, e então acreditava estar cumprindo seu juramento, esquecendo-se de que era porque estava bem prestes a descumprir a metade mais importante daquele juramento que estava pregado à esquina do bulevar e da rue Saint-Martin.

Mas, como já disse, sua resistência com relação a Werner dera-lhe indulgência com relação a Arsène. Decidiu portanto ficar no meio termo e, em vez de voltar à sala da ópera, ação à qual o empurrava com toda a força seu demônio tentador, esperar na saída dos artistas para vê-la ir embora.

Aquela saída dos artistas, Hoffmann conhecia demais a topografia dos teatros para não achá-la logo. Viu, na rue de Bondy, um longo corredor mal iluminado, sujo e úmido, pelo qual passavam, como sombras, homens com roupas sórdidas, e compreendeu que era por essa porta que entravam e saíam os pobres mortais, que o vermelho, o branco, o azul, a gaze, a seda e as *pailletes* transformavam em deuses e deusas.

O tempo passava, a neve caía, mas Hoffmann estava tão agitado por aquela estranha aparição, que tinha algo de sobrenatural, que não experimentava aquela sensação de frio que parecia perseguir os transeuntes. Em vão condensava em vapores quase palpáveis o sopro que saía de sua boca, nem por isso suas mãos deixavam de queimar e o suor de escorrer por sua testa. Mais: encostado na parede, ali permaneceu imóvel, os olhos fixos no corredor; de modo que a neve, que continuava caindo em flocos mais densos, cobria devagar o jovem como uma mortalha e transformava aos poucos em estátua de mármore o estudante com sua boina e seu redingote alemão. Por aquela passagem de acesso finalmente começaram a sair os primeiros liberados do espetáculo, ou seja, os vigilantes do teatro, depois os maquinistas, depois toda aquela gente sem nome que vive do teatro, depois os artistas do sexo masculino, que demoram menos para se vestir do que as mulheres, depois, finalmente, as mulheres, depois, finalmente, a bela dançarina, que Hoffmann reconheceu não apenas pelo seu rosto encantador, mas por aquele movimento flexível de ancas que só ela tinha, e ainda por aquele colarzinho de veludo que apertava seu pescoço e no qual faiscava a jóia estranha que o Terror introduzira na moda.

Mal Arsène apareceu no limiar da porta, antes mesmo de Hoffmann ter tempo de esboçar um movimento, um veículo avançou depressa, a porta se abriu, e a moça nele se precipitou tão levemente quanto se ainda saltasse no palco. Uma sombra apareceu através dos vidros, e Hoffmann acreditou reconhecer o homem do proscênio; a sombra recebeu a bela ninfa em seus braços; em seguida, sem que nenhuma voz precisasse designar um destino ao cocheiro, o veículo afastou-se a galope.

Tudo o que acabamos de contar em quinze ou vinte linhas aconteceu rápido como um raio.

Hoffmann deu uma espécie de grito ao ver o veículo fugir, desencostou-se do muro como uma estátua que se lança para fora de seu nicho e, sacudindo com o movimento a neve que o cobrira, começou a perseguir o carro.

Este porém era puxado por dois cavalos potentes demais para que o jovem, por mais veloz que fosse sua corrida impensada, pudesse alcançá-lo.

Enquanto ele percorreu o bulevar, tudo correu bem; até quando ele seguiu a rue de Bourbon-Villeneuve, que acabara de ser desbatizada para assumir o nome de rue *Neuve-Egalité* [Nova igualdade], tudo continuou a correr bem; mas, ao chegar à place des Victoires [praça das Vitórias], que se tornara a place de la *Victoire Nationale* [Vitória nacional], ele pegou a direita e desapareceu da vista de Hoffmann.

Deixando de ser sustentada pelo ruído ou pela visão, a corrida do jovem arrefeceu por um instante. Ele parou na esquina da rue Neuve-Eustache, apoiou-se numa parede para recuperar o fôlego e, como não visse nem ouvisse mais nada, tentou orientar-se, julgando que era hora de voltar para casa.

Não foi fácil para Hoffmann sair daquele dédalo de ruas que formam uma rede quase inextrincável da ponta Saint-Eustache ao quais de la Ferraille. Finalmente, graças às inúmeras patrulhas que circulavam pelas ruas, graças ao seu passaporte bem regularizado, graças à prova de que ele só chegara na véspera, prova que o visto da barreira lhe dava a facilidade de fornecer, obteve informações tão precisas da milícia cidadã que conseguiu voltar a seu hotel e ao seu quartinho, onde aparentemente se fechou sozinho, mas, na realidade com a lembrança ardente do que acontecera.

A partir daquele momento, Hoffmann foi presa principalmente de duas visões: uma apagava-se aos poucos, enquanto a outra aos poucos adquiria maior consistência.

A visão que se apagava era a da figura pálida e descabelada da Du Barry, levada da Conciergerie à charrete e da charrete ao cadafalso.

A visão que adquiria realidade era a figura animada e sorridente da bela dançarina que saltava do fundo do palco até a frente e girava da rampa aos dois proscênios.

Hoffmann fez todos os esforços possíveis para se livrar daquela visão. Tirou seus pincéis da mala e pintou; tirou seu violino da caixa e tocou; pediu uma pena e tinta e fez versos. Mas os versos que compunha eram versos louvando Arsène; a ária que tocava era aquela em que a moça aparecera e cujas notas saltitantes a erguiam como se tivesse asas; finalmente, os esboços que fazia constituíam seu retrato com o mesmo colar de veludo, ornamento estranho preso ao pescoço de Arsène por um broche tão estranho.

A noite toda, o dia seguinte e a noite seguinte inteiros e ainda no outro dia, Hoffmann só viu uma coisa, ou melhor, duas: por um lado, a dançarina fantástica, e por outro, o doutor não menos fantástico. Entre os dois seres havia tal correlação, que Hoffmann não compreendia um sem o outro. Por isso, durante a alucinação que sempre lhe oferecia Arsène saltando no palco, a orquestra sussurrava em seus ouvidos; não, era o cantarolar do doutor, o tamborilar de seus dedos na tabaqueira de ébano; ademais, de vez em quando, passava um clarão diante dos seus olhos, cegando-o com faíscas que jorravam; era o duplo raio que se precipitava da tabaqueira do doutor e do colar da dançarina; era a atração simpática daquela guilhotina de diamantes por aquela caveira de diamantes; eram finalmente os olhos fixos do médico que pareciam, segundo sua vontade, atrair e rejeitar a dançarina encantadora, como o olho da serpente atrai e rejeita o pássaro que fascina.

Vinte, cem, mil vezes, passou pela cabeça de Hoffmann a idéia de voltar à Ópera; mas, uma vez que não chegara a hora, Hoffmann prometera-se não ceder à tentação; aliás, aquela tentação ele a combateu de todas as maneiras, em primeiro lugar recorrendo a seu medalhão, depois tentando escrever para a Antonia; mas o retrato de Antonia parecia ter adquirido um rosto tão triste que Hoffmann praticamente o fechava assim que o abria; mas as primeiras linhas de cada carta que ele começava ficavam tão embaralhadas que ele rasgou dez cartas antes de chegar a um terço da primeira página.

Finalmente, aqueles famosos dois dias passaram; finalmente, aproximou-se a hora da abertura do teatro; finalmente, soaram sete horas e, a este último chamado, Hoffmann, arrebatado como que contra a sua vontade, desceu correndo a escada e precipitou-se em direção à rue Saint-Martin.

Desta feita, em menos de quinze minutos, desta feita, sem ter necessidade de pedir informações sobre seu caminho a ninguém, desta feita, como se um guia invisível lhe mostrasse a pista, em menos de dez minutos ele chegou à porta da Ópera.

Mas que coisa estranha! Aquela porta não estava cheia de espectadores como dois dias antes ou porque um incidente que Hoffmann desconhecia tornara o espetáculo menos atraente, ou porque os espectadores já estavam dentro do teatro.

Hoffmann jogou sua moeda de seis libras à bilheteira, recebeu sua entrada e correu para dentro da sala.

O aspecto da sala porém mudara bastante. Em primeiro lugar, só estava cheia pela metade; em segundo, em vez daquelas mulheres encantadoras, daqueles homens elegantes que ele acreditou iria rever, só viu mulheres de casaquinha e homens de carmanhola; nada de jóias, nada de flores, nada de seios nus inflando-se e desinflando sob a atmosfera voluptuosa dos teatros aristocráticos; bonés redondos e bonés vermelhos, tudo ornado por enormes penachos nacionais; cores escuras nas roupas, uma nuvem triste nos rostos; além disso, dos dois lados da sala, dois bustos horrorosos, duas cabeças fazendo caretas, uma a da risada, a outra, a da dor, e ainda os bustos de Marat e de Voltaire.

Finalmente, no proscênio, um buraco mal iluminado, uma abertura escura e vazia. A caverna continuava existindo, mas o leão desaparecera.

Na platéia havia dois lugares vagos um ao lado do outro. Hoffmann sentou-se em um desses dois lugares, o que havia ocupado. O outro fora o que o médico ocupara, mas, como já dissemos, o assento estava vazio.

O primeiro ato acabou sem que Hoffmann prestasse atenção à orquestra ou aos atores.

Ele conhecia aquela orquestra e a apreciara em uma primeira audição.

Os atores pouco lhe importavam, ele não viera para vê-los, viera para ver Arsène.

A cortina ergueu-se para o segundo ato, e o balé começou.

Toda a inteligência, toda a alma, todo o coração do jovem eram só ansiedade.

Ele aguardava a entrada de Arsène.

De repente Hoffmann deu um grito.

Não era mais Arsène quem fazia o papel de Flora.

A mulher que apareceu era uma mulher estranha, uma mulher como todas as outras.

Todas as fibras daquele corpo ofegante se distenderam; Hoffmann chegou a afundar sobre si mesmo dando um longo suspiro e olhou ao seu redor.

O homenzinho negro estava em seu lugar; só que em seus sapatos não havia mais fivelas de diamante, ele não usava mais anéis de diamante, nem tinha uma tabaqueira com uma caveira de diamantes.

As fivelas de seus sapatos eram de cobre, seus anéis, de prata dourada, sua tabaqueira, de prata fosca.

Não cantarolava mais, nem batia o compasso.

Como fora parar ali? Hoffmann não tinha idéia: ele não o vira chegar, nem passar.

– Oh, senhor! – exclamou Hoffmann.

– Fale, cidadão, meu jovem amigo, pode me chamar de você... se for possível – respondeu o homenzinho negro – ou fará com que cortem a minha cabeça ou a sua.

– Mas afinal onde ela está? – perguntou Hoffmann.

– Ah, veja só... Onde ela está? Parece que seu tigre, que não tira os olhos de cima dela, percebeu que no último espetáculo Arsène se correspondeu por sinais com um jovem da platéia. Parece que esse jovem correu atrás do carro; de modo que ontem ele rompeu o contrato de Arsène, e Arsène não trabalha mais no teatro.

– E como o diretor reagiu?...

– Meu jovem amigo, o diretor faz questão de conservar a cabeça sobre os ombros, embora seja uma cabeça bem feia; mas ele diz que está acostumado com aquela cabeça e que talvez não brote uma nova no mesmo lugar.

– Ah, meu Deus! É por isso que esta sala está tão triste! – exclamou Hoffmann. – Por isso não há mais flores, nem diamantes, nem jóias! Por isso o senhor não está mais usando suas fivelas de diamante! Eis porque há, finalmente, dos dois lados do palco, em vez dos bustos de Apolo e de Terpsícore, esses dois bustos horrorosos. Puá!

– Ah, mas o que o senhor está me dizendo – perguntou o médico – onde o senhor viu a sala que está descrevendo? Onde o senhor me viu com fivelas de diamantes, com tabaqueiras de diamantes? Onde o senhor viu os bustos de Apolo e de Terpsícore? Mas há dois anos as flores não florescem mais, os diamantes viraram papel-moeda e as jóias são fundidas no altar da pátria. Quanto a mim, graças a Deus, jamais tive outras fivelas que não estas de cobre, outros anéis que não este anel feio de prata dourada e outra tabaqueira além desta de prata; quanto aos bustos de Apolo e de Terpsícore, eles existiram aqui em outros tempos, mas os amigos da humanidade vieram quebrar o busto de Apolo e substituíram-no pelo do apóstolo Voltaire; os amigos do povo vieram quebrar o busto de Terpsícore e substituíram-no pelo do deus Marat.

– Oh! – exclamou Hoffmann – é impossível. Estou lhe dizendo que no último espetáculo vi uma sala perfumada de flores, resplandecente de roupas ricas, jorrando diamantes, e homens elegantes em vez dessas comadres de casaquinha e desses empregadinhos de carmanhola. Estou lhe dizendo que havia fivelas de diamante em seus sapatos, anéis de diamantes em seus dedos, uma caveira de diamantes em sua tabaqueira. Asseguro-lhe.

– E eu, meu jovem, por minha vez, digo-lhe – retomou o homenzinho negro – eu lhe digo que anteontem ela estava aqui, eu lhe digo que sua presença iluminava tudo, eu lhe digo que seu sopro fazia as rosas nascerem, as jóias reluzirem, os diamantes de sua imaginação faiscarem; eu lhe digo que a ama, meu jovem, e que viu a sala pelo prisma de seu amor. Arsène não está mais aqui, seu coração está morto, seus olhos desencantados, e você vê tecidos rudes, bonés vermelhos, mãos sujas e cabelos engordurados. Finalmente, você vê o mundo como é, as coisas como são.

– Oh, meu Deus! – exclamou Hoffmann deixando a cabeça cair nas mãos – tudo isso é verdade e então estou prestes a ficar louco?

11
O BOTEQUIM

Hoffmann só saiu da letargia quando sentiu uma mão pousar em seu ombro.

Ergueu a cabeça. Tudo estava escuro e apagado ao seu redor: o teatro sem luz parecia-lhe o cadáver do teatro que vira vivo. O vigia passeava sozinho e silencioso como um guardião da morte; nada de lustres, nada de orquestra, nem mais um raio de luz, nem um barulho.

Só uma voz que sussurrava em seu ouvido:

– Cidadão, cidadão, o que está fazendo aí? O senhor está na Ópera, cidadão; aqui se dorme, é verdade, mas não se passa a noite.

Hoffmann olhou finalmente para o lado de onde vinha a voz e viu uma velhinha que o puxava pela gola de seu redingote.

Era a funcionária da platéia que, não conhecendo as intenções daquele espectador obstinado, não queria ir embora antes de vê-lo sair à sua frente.

De resto, uma vez desperto de seu sono, Hoffmann não ofereceu resistência; deu um suspiro e levantou-se murmurando a palavra:

– Arsène!

– Ah, sim! Arsène – disse a velhinha. – Arsène! O senhor também, meu jovem, está apaixonado como todos. É uma grande perda para a Ópera, principalmente para nós, as funcionárias.

– Para vocês, as funcionárias – perguntou Hoffmann, feliz por se ligar a alguém que lhe falava da dançarina – e por que é também uma perda para vocês Arsène não trabalhar mais no teatro?

– Ah, é bem fácil compreender. Em primeiro lugar, porque todas as vezes que ela dançava, a sala ficava cheia;

então negociavam-se tamboretes, cadeiras e banquinhos; na Ópera, tudo se paga. Pagavam-se os banquinhos, as cadeiras e os tamboretes extras, eram nossos pequenos lucros. Digo pequenos lucros – acrescentou a velha, o ar manhoso – porque ao lado destes, cidadão, o senhor entende, havia os grandes.

– Os grandes lucros?

– Isso mesmo.

E a velha piscou o olho.

– E quais eram os grandes lucros? Diga, minha boa senhora.

– Os grandes lucros vinham daqueles que pediam informações sobre ela, que queriam saber seu endereço, que lhe mandavam bilhetes. Havia preço para tudo, o senhor entende: tanto para as informações, tanto para o endereço, tanto os bilhetinhos. Fazíamos nossos pequenos negócios e afinal vivíamos honestamente.

E a velha deu um suspiro que, sem desvantagem, podia ser comparado ao suspiro de Hoffmann no começo do diálogo que acabamos de relatar.

– Ah, ah – disse Hoffmann – vocês se encarregavam de dar informações, de indicar o endereço, de entregar bilhetes; ainda fazem isso?

– Infelizmente, senhor, as informações que eu poderia lhe dar agora lhe seriam inúteis; ninguém mais sabe o endereço de Arsène, e o bilhete que o senhor me desse para ela iria perder-se. Se quiser mandar para alguma outra? Para Vestris, Bigottini, para a senhorita...

– Obrigado, minha boa senhora, obrigado; só queria saber algo sobre a senhorita Arsène.

Em seguida, tirando uma moedinha do bolso:

– É para a senhora – disse Hoffmann – pelo trabalho que teve de me despertar.

E, despedindo-se da velha, voltou lentamente ao bulevar, com a intenção de seguir o mesmo caminho que seguira dois dias antes, o instinto que o guiara para vir deixara de existir.

Só que suas impressões eram bem diferentes, e seu andar ressentia-se dessa diferença.

Na outra noite, o andar era o de um homem que vira passar a Esperança e que corre atrás dela, sem refletir que Deus lhe deu suas longas asas azuis para que os homens jamais a alcancem. Sua boca estava aberta e ele ofegava, a cabeça erguida, os braços estendidos; desta feita, ao contrário, caminhava devagar como o homem que, após tê-la perseguido em vão, acaba de perdê-la de vista. A boca estava fechada, o semblante abatido, os braços caídos. Da outra vez levara apenas cinco minutos para ir da porte Saint-Martin à rue Montmartre; desta feita, levou mais de uma hora, e mais uma hora ainda para ir da rue Montmartre a seu hotel; porque, na espécie de abatimento em que caíra, pouco lhe importava voltar para casa cedo ou tarde, chegava a pouco lhe importar o próprio fato de voltar para casa.

Dizem que há um Deus para os bêbados e para os apaixonados; decerto aquele Deus velava por Hoffmann; fez com que evitasse as patrulhas; fez com que encontrasse os cais, as pontes e finalmente seu hotel, onde entrou, para grande escândalo de sua hospedeira, a uma e meia da manhã.

No entanto, em meio a tudo isso, um clarãozinho dourado dançava no fundo da imaginação de Hoffmann, como um fogo-fátuo na noite. O médico dissera-lhe, se é que esse médico existia, se é que não era fruto de sua imaginação, se é que não era alucinação de seu espírito; o médico dissera-lhe que Arsène fora tirada do teatro por seu amante, já que seu amante ficara com ciúme de um jovem que estava na platéia com o qual Arsène trocara olhares ternos demais.

O médico acrescentara que o que levara o ciúme do

tirano ao auge é que esse mesmo jovem havia sido visto entrincheirado diante da saída dos artistas; que esse mesmo jovem correra desesperado atrás da carruagem; ora, esse jovem que trocara da orquestra olhares apaixonados com Arsène, era ele, Hoffmann; ora, esse jovem que ficara entrincheirado na saída dos artistas, continuava sendo ele, Hoffmann. Portanto, Arsène o notara, já que ela estava sendo castigada por sua distração; portanto Arsène sofria por ele; ele entrara na vida da bela dançarina pela porta da dor, mas entrara, era o principal; cabia a ele nela permanecer. Mas como? Por que meio? Por que caminho corresponder-se com Arsène, dar-lhe notícias suas, dizer-lhe que a amava? Já seria um belo trabalho para um parisiense puro-sangue encontrar aquela bela Arsène perdida na cidade imensa. Era uma tarefa impossível para Hoffmann, que chegara havia três dias e que mal conseguia encontrar a si mesmo.

Portanto, Hoffmann nem se deu ao trabalho de procurá-la; compreendia que só o acaso poderia ajudá-lo. A cada dois dias ele olhava o cartaz da Ópera, e a cada dois dias sentia a dor de constatar que Páris sofria seu julgamento na ausência daquela que merecia a maçã de maneira bem diferente da de Vênus.

A partir daquele momento, deixou de pensar em ir à Ópera.

Por um instante, teve a idéia de ir ou à Convenção, ou à assembléia dos jacobinos, de seguir os passos de Danton e, espionando-o noite e dia, adivinhar onde escondera a bela dançarina. Chegou a ir à Convenção, aos jacobinos, mas Danton não estava mais lá; cansado da luta que sustentava havia dois anos, muito mais vencido pelo tédio do que pela superioridade, Danton parecia ter se retirado da arena política.

Diziam que Danton estava em sua casa de campo. Onde era essa casa de campo? Ninguém sabia; uns diziam que era em Rueil, outros em Auteuil.

Danton era tão impossível de encontrar quanto Arsène.

O leitor talvez acredite que essa ausência de Arsène acabaria levando Hoffmann de volta a Antonia; mas, coisa estranha! Não foi isso o que ocorreu. Hoffmann bem que se esforçava arduamente para levar sua mente de volta para a pobre filha do regente de Mannheim: por um instante, pelo poder de sua vontade, todas as suas lembranças concentravam-se no gabinete de mestre Gottlieb Murr; porém, ao final de um momento, partituras amontadas nas mesas e nos pianos, mestre Gottlieb pisoteando diante de sua estante de música, Antonia deitada em seu canapé, tudo aquilo desaparecia para ceder lugar a um grande quadro iluminado no qual a princípio se moviam sombras; depois as sombras se encorpavam, depois esses corpos assumiam formas mitológicas, depois finalmente todas aquelas formas mitológicas, todos aquele heróis, todas aquelas ninfas, todos aqueles deuses, todos aqueles semideuses desapareciam para dar lugar a uma única deusa, à deusa dos jardins, à bela Flora, ou seja, à divina Arsène, à mulher com o colar de veludo e com o broche de diamantes; então Hoffmann caía não mais em um devaneio, mas em um êxtase do qual só conseguia sair quando se jogava na vida real, ficava ao lado dos camponeses na rua, enfim, tornava à multidão e ao barulho.

Quando essa alucinação da qual Hoffmann era presa tornava-se forte demais, então ele saía, deixava-se arrastar até ao declive do cais, pegava a Pont-Neuf e quase sempre só parava na esquina da rue de la Monnaie. Ali encontrara um botequim, ponto de encontro dos fumantes mais rudes da capital. Naquele lugar, Hoffmann podia acreditar que se achava em alguma taberna inglesa, em algum cabaré holandês ou em algum albergue alemão, tanto a fumaça do cachimbo tornava sua atmosfera irrespirável para qualquer outro que não um fumante de primeira linha.

Uma vez dentro do botequim de la Fraternité [da Fraternidade], Hoffmann alcançou uma mesinha no canto mais escondido, pediu uma garrafa de cerveja da cervejaria do senhor Santerre, que acabara de abdicar, em favor do senhor Henriot, à sua patente de general da guarda nacional de Paris, carregou até a boca o cachimbo imenso que já conhecemos e envolveu-se por alguns instantes em uma nuvem de fumaça tão densa quanto aquela em que a linda Vênus envolvia seu filho Enéias toda vez que a terna mãe achava urgente arrancar seu filho bem-amado à cólera de seus inimigos.

Oito ou dez dias haviam transcorrido desde a aventura de Hoffmann na Ópera e, conseqüentemente, desde o desaparecimento da bela dançarina; era uma hora da tarde; havia mais ou menos meia hora Hoffmann estava em seu botequim, tratando, com toda a força de seus pulmões, de estabelecer em torno dele aquela fortaleza de fumaça que o separava de seus vizinhos, quando lhe pareceu distinguir no vapor como que uma forma humana e, em seguida, dominando todos os barulhos, ouvir o duplo ruído do cantarolar e do tamborilar costumeiro do homenzinho negro; ademais, no meio daquele vapor, parecia-lhe que um ponto luminoso soltava faíscas; tornou a abrir os olhos semicerrados por uma suave sonolência, com dificuldade afastou as pálpebras e, diante dele, sentado em um tamborete, ele reconheceu seu vizinho da Ópera, tanto mais porque o fantástico doutor estava usando, ou parecia estar usando, suas fivelas de diamantes nos sapatos, seus anéis de diamantes nos dedos e sua caveira na tabaqueira.

– Tudo bem – disse Hoffmann – estou ficando louco de novo.

E fechou os olhos depressa.

Porém, uma vez fechados os olhos, quanto mais hermeticamente fechados estavam, mais Hoffmann ouvia o acompanhamento do canto e o tamborilar dos dedos;

o conjunto da maneira mais nítida, tão nítida que Hoffmann compreendeu que havia um fundo de realidade em tudo aquilo e que a diferença era só para mais ou para menos.

Tornou a abrir um olho, depois o outro; o homenzinho negro continuava em seu lugar.

– Boa noite, meu jovem – disse a Hoffmann. – Você está dormindo, acho; uma pitada de tabaco vai despertá-lo.

E, abrindo a tabaqueira, ofereceu tabaco ao jovem.

Este estendeu a mão maquinalmente, pegou uma pitada e aspirou.

Na hora pareceu-lhe que as paredes de sua mente se iluminavam.

– Ah! – exclamou Hoffmann. – É o senhor, caro doutor? Como estou feliz em revê-lo!

– Se você se sente tão feliz em me rever – perguntou o doutor – porque não me procurou?

– E por acaso sabia seu endereço?

– Muito complicado! Poderiam dar-lhe meu endereço no primeiro cemitério que encontrasse.

– E eu sei seu nome?

– O doutor com a caveira, todos me conhecem por esse nome. Depois há um lugar onde sempre teria certeza de me encontrar.

– Onde? Na Ópera – disse Hoffmann sacudindo a cabeça e dando um suspiro.

– Isso mesmo, você não voltou mais por lá.

– Não vou mais lá.

– Desde que não é mais Arsène quem faz o papel de Flora?

– Exatamente e, enquanto ela não voltar, eu tampouco voltarei.

– Você está apaixonado por ela, jovem, apaixonado.

– Não sei se a doença que sinto se chama amor, mas sei que se não voltar a vê-la, ou morrerei por sua ausência, ou ficarei louco.

– Que horror! Não é o caso de ficar louco! Que horror! Não é o caso de morrer. Para a loucura não há muitos remédios, para a morte não existe nenhum.

– O que fazer então?

– Ora, tornar a vê-la.

– Como, tornar a vê-la!

– Claro.

– O senhor sabe como?

– Talvez.

– Como?

– Espere.

E o doutor pôs-se a devanear piscando os olhos e tamborilando em sua tabaqueira.

Após um instante, voltando a abrir os olhos e deixando os dedos suspensos no ébano:

– Você disse que é pintor, não é?

– Sou, pintor, músico, poeta.

– Por enquanto só precisamos da pintura.

– E então?

– E então Arsène encarregou-me de procurar-lhe um pintor.

– Para quê?

– Para que se procura um pintor, homem de Deus? Para fazer um retrato seu!

– O retrato de Arsène! – exclamou Hoffmann, levantando-se. – Oh! Estou pronto! Estou pronto!

– Fique quieto! Afinal, sou um homem sério.

– O senhor é meu salvador! – exclamou Hoffmann jogando os braços em torno do pescoço do homenzinho negro.

– Juventude! Juventude! – murmurou o último acompanhando suas duas palavras com a mesma risada com que sua caveira zombaria se fosse de tamanho natural.

– Vamos, vamos! – repetiu Hoffmann.

– Mas precisamos de uma paleta, de pincéis, de tela.
– Tenho tudo isso em meu quarto, vamos!
– Vamos! – disse o doutor.
E ambos saíram do botequim.

12
O RETRATO

Ao sair do botequim, Hoffmann fez um movimento para chamar um fiacre; mas o doutor bateu suas mãos secas uma contra a outra e, a esse chamado, semelhante ao ruído de duas mãos de esqueleto, um veículo coberto de negro com dois cavalos negros e conduzido por um cocheiro todo vestido de negro acorreu. Onde estava estacionado? De onde saíra? Hoffmann teria tanta dificuldade para sabê-lo quanto Cinderela para dizer de onde viera o carro no qual ela fora ao baile do príncipe.

Um criadinho, não só de roupas negras, mas também de pele negra, abriu a porta. Hoffmann e o doutor embarcaram, sentaram-se lado e a lado, e imediatamente o carro começou a rodar sem fazer ruído até o hotel de Hoffmann.

Ao chegar à porta, Hoffmann hesitou em subir ao seu quarto; parecia-lhe que, assim que virasse as costas, o carro, os cavalos, o doutor e seus dois empregados iriam desaparecer como haviam aparecido. Mas para que o doutor, os cavalos, o carro e os criados tinham se dado ao trabalho de conduzi-lo do botequim da rue de la Monnaie ao cais das Flores? Esse incômodo não tinha objetivo.

Mais tranqüilo pelo simples sentimento da lógica, Hoffmann portanto desceu do carro, entrou no hotel, subiu a escada depressa, precipitou-se em seu quarto, ali pegou paleta, pincéis, aquarela, escolheu a maior de suas telas e tornou a descer na mesma velocidade com que subira.

O carro continuava à porta.

Pincéis, paleta e aquarela foram colocados dentro do veículo: o criado ficou encarregado de carregar a tela.

Depois o carro começou a rodar com a mesma rapidez e no mesmo silêncio.

Ao final de dez minutos, parou diante de uma pequena mansão encantadora situada à rue de Hanovre, número 5.

Hoffmann memorizou a rua e o número para, caso necessário, poder voltar sem a ajuda do doutor.

A porta abriu-se: com certeza o doutor era conhecido pois o zelador nem mesmo lhe perguntou onde ia; Hoffmann seguiu o médico com seus pincéis, sua aquarela, sua paleta, sua tela e passou na frente de todos.

Subiram ao primeiro andar e entraram em uma antecâmara que parecia o vestíbulo da casa do poeta em Pompéia.

Como o leitor deve se lembrar, naquela época a moda era a Grécia; a antecâmara de Arsène era pintada com afrescos, ornada de candelabros e de estátuas de bronze.

Da antecâmara, o doutor e Hoffmann passaram para o salão.

O salão era grego como a antecâmara, decorado com tecidos de Sedan de setenta francos a alna; só o tapete custava seis mil libras; o doutor apontou o tapete a Hoffmann; representava a batalha de Arbelles copiada do famoso mosaico de Pompéia.

Ofuscado por aquele luxo inusitado, Hoffmann não compreendia como faziam tapetes assim para serem pisados.

Da sala, passaram à saleta íntima; a saleta íntima era forrada de cachemira. No fundo, emoldurado, havia um leito baixo que formava um canapé semelhante àquele no qual o senhor Guérin se deitou depois de Dido para ouvir as aventuras de Enéias. Arsène dera ordens para que a esperassem ali.

– Agora, meu jovem – disse o doutor – agora que está dentro dessa casa, cabe a você se comportar de maneira adequada. Nem é preciso dizer que se o amante titular o surpreender aqui, você será um homem perdido.

– Oh! – exclamou Hoffmann – só quero revê-la, só revê-la e...

As palavras apagaram-se dos lábios de Hoffmann, que ficou com os olhos vidrados, os braços estendidos, o peito ofegante.

Uma porta escondida nos lambris de madeira acabara de se abrir e de trás de um espelho giratório apareceu Arsène, verdadeira divindade dos tempos em que elas ainda se dignavam a aparecer para seus admiradores.

Usava os trajes de Aspásia em todo o seu luxo antigo, com pérolas nos cabelos, manto de púrpura bordada de ouro, vestido longo branco preso na cintura por um simples cinto de pérolas, anéis nos pés e nas mãos e, no meio de tudo aquilo, o estranho ornamento que parecia inseparável de sua pessoa, aquele colar de veludo com apenas quatro linhas de largura e preso pelo lúgubre broche de diamantes.

– Ah, é o senhor, cidadão, quem vai se encarregar de fazer meu retrato? – perguntou Arsène.

– Sim – balbuciou Hoffmann – sim, senhora, e o doutor teve a bondade de se encarregar de se responsabilizar por mim.

Hoffmann olhou em torno de si como que para pedir apoio ao médico, mas este desaparecera.

– Muito bem – exclamou Hoffmann bem embaraçado – muito bem!

– O que está procurando, do que precisa, cidadão?

– Senhora, estou procurando, querendo... querendo o doutor, a pessoa, enfim, que me introduziu aqui.

– Para que o senhor precisa de seu interlocutor – disse Arsène –, uma vez que já está aqui dentro?

– Mas onde está o doutor, o doutor? – quis saber Hoffmann.

– Ora! – disse Arsène com impaciência – o senhor não vai perder tempo procurando-o. O doutor foi tratar de seus negócios, vamos tratar dos nossos.

– Senhora, estou às suas ordens – disse Hoffmann tremendo.

– Muito bem, então o senhor aceita fazer meu retrato?

– Quer dizer que sou o homem mais feliz do mundo por ter sido escolhido para tal favor; só temo uma coisa.

– Ah, o senhor vai se fingir de modesto. Tudo bem, se não conseguir, tento um outro. Ele quer um retrato meu. Vi que o senhor me olhava como alguém que conservaria meu semblante em sua memória e dei-lhe minha preferência.

– Obrigado, obrigado, cem vezes obrigado! – exclamou Hoffmann devorando Arsène com os olhos. – Oh, claro, claro, conservei seu semblante na minha memória: aqui, aqui, aqui.

E apertou a mão no coração.

De repente, cambaleou e empalideceu.

– O que há com o senhor? – perguntou Arsène com um arzinho bem desenvolto.

– Nada – respondeu Hoffmann – nada; vamos começar.

Pousando a mão sobre o coração, ele sentira o medalhão de Antonia entre o peito e a camisa.

– Vamos começar – prosseguiu Arsène –, é fácil dizer. Em primeiro lugar, ele não quer me ver retratada com essa roupa.

O termo *ele*, que já aparecera duas vezes, traspassava o coração de Hoffmann como se fosse feito de uma das agulhas de ouro que sustentavam o penteado da moderna Aspásia.

– E como afinal *ele* quer que a senhora seja pintada? – perguntou Hoffmann com uma amargura sensível.

– Como Erígone.

– Maravilhoso! O penteado com parras cairá maravilhosamente na senhora.

– O senhor acha? – perguntou Arsène fazendo gestos afetados. – Mas acho que a pele de pantera também não vai me enfeiar.

E ela tocou uma campainha.

Uma camareira entrou.

– Eucaris – disse Arsène – traga-me o tirso, as parras e a pele de tigre.

Em seguida, tirando os dois ou três alfinetes que sustentavam seu penteado e, sacudindo a cabeça, Arsène envolveu-se em uma onda de cabelos negros que caíram em cascata em seus ombros, saltaram em suas ancas e se espalharam, cheios e ondulados até o tapete.

Hoffmann deu um grito de admiração.

– O que houve? – perguntou Arsène.

– É que nunca vi cabelos assim – exclamou Hoffmann.

– Por isso *ele* quer que sejam aproveitados, por isso *escolhemos* os trajes de Erígone que me permitem posar de cabelos soltos.

Dessa vez o *ele* e o *nós* deram dois golpes em vez de um no coração de Hoffmann.

Nesse meio tempo, a senhorita Eucaris trouxera as uvas, o tirso e a pele de tigre.

– Precisamos de mais alguma coisa? – perguntou Arsène.

– Não, não, acho que basta – balbuciou Hoffmann.

– Muito bem, deixe-nos a sós e só volte se eu lhe chamar.

A senhorita Eucaris saiu e tornou a fechar a porta atrás de si.

– Agora, cidadão – disse Arsène – ajude-me a me pentear um pouco; isso lhe diz respeito. Para me embelezar, confio muito na fantasia do pintor.

– E a senhora tem razão! – exclamou Hoffmann. – Meu Deus! Meu Deus! Como a senhora vai ficar bonita!

E tomando o ramo de parra, ele torceu-o em torno da cabeça de Arsène com a arte do pintor que proporciona um valor e um reflexo a cada coisa; depois ele pegou, a princípio trêmulo e com a ponta dos dedos, aquele longos cabelos perfumados e brincou com o ébano móvel entre os grãos de topázio, entre as folhas de esmeralda e os rubis da vinha outonal; e, como prometera, sob sua mão, mão de poeta, de pintor e de amante, a dançarina embelezou-se tanto que, ao se olhar no espelho, deu um grito de alegria e orgulho.

– Oh, o senhor tem razão – disse Arsène – sim, estou bela, muito bela. Agora vamos continuar.

– O quê? Continuar o quê? – perguntou Hoffmann.

– Minha toalete de bacante...

Hoffmann começou a entender.

– Meu Deus! – murmurou. – Meu Deus!

Arsène abriu sorrindo seu manto púrpura que ficou preso por um único alfinete que ela tentou alcançar em vão.

– O senhor vai me ajudar ou não? – disse com impaciência. – Devo chamar Eucaris?

– Não, não! – exclamou Hoffmann.

E correndo para Arsène, ele tirou o alfinete rebelde: o manto caiu aos pés da bela grega.

– Pronto! – disse o jovem respirando.

– Oh! – disse Arsène. – O senhor acha que essa pele de tigre vai bem com esse vestido longo de musselina? eu não acho; além disso, ele quer uma bacante de verdade, não como as que se vêem no teatro, mas como as que aparecem nos quadros de Caracci e de Albano.

– Mas nos quadros de Caracci e de Albano – exclamou Hoffmann – as bacantes estão nuas!

– Tudo bem; *ele* me quer assim, além da pele de tigre que o senhor pode colocar como quiser, isso cabe ao senhor.

O pedido fora feito em um tom tão calmo e frio que Hoffmann se dobrou para trás colocando as duas mãos na testa.

– Nada, nada – balbuciou – perdoe-me, estou ficando louco.

– É mesmo – disse ela.

– Muito bem – exclamou Hoffmann – por que a senhora me pediu para vir? Diga, diga.

– Para que o senhor fizesse meu retrato, para nenhuma outra coisa.

– Ah, sim – disse Hoffmann – sim, a senhora tem razão; para fazer seu retrato e não para qualquer outra coisa.

E imprimindo um profundo abalo à sua vontade, Hoffmann pousou a tela no cavalete, pegou a paleta, os pincéis e começou a esboçar o quadro inebriante que tinha diante de seus olhos.

O artista porém sobrestimara suas forças: quando viu o voluptuoso modelo posando, não apenas em sua ardente realidade, mas ainda reproduzido pelos mil espelhos da saleta íntima; quando, no lugar de uma Erígone, ele se viu no meio de dez bacantes; quando viu cada espelho repetir aquele sorriso inebriante, reproduzir as ondulações daquele peito que a unha de ouro da pantera só cobria pela metade, sentiu que estavam pedindo dele mais do que forças humanas e, jogando paleta e pincéis, correu para a bela bacante e depôs em seu ombro um beijo onde havia tanta raiva quanto amor.

Porém, no mesmo instante, a porta abriu-se e a ninfa Eucaris precipitou-se na saleta gritando:

– É ele! É ele! É ele!

E dizendo aquelas palavras, ela desamarrara a faixa de sua cintura e o broche de seu pescoço, de modo que o vestido escorregou ao longo de seu belo corpo, deixando-o nu à medida que descia dos ombros aos pés.

– Oh! – disse Hoffmann caindo de joelhos. – Não é uma mortal, é uma deusa.

Arsène empurrou com o pé o manto do vestido.

Em seguida, pegando a pele de tigre.

– Muito bem – disse ela – o que vamos fazer com isso? Vamos, ajude-me, cidadão pintor, não estou habituada a me vestir sozinha.

A ingênua dançarina chamava isso de se vestir.

Hoffmann aproximou-se cambaleando, ébrio, ofuscado, pegou a pele de tigre, afivelou suas unhas de ouro no ombro da bacante, fez com que ela sentasse, ou melhor, deitasse no leito de cachemira vermelha, onde pareceria uma estátua de mármore de Paros se a respiração não erguesse seu seio e se o sorriso não entreabrisse seus lábios.

– Estou bem assim? – perguntou, arredondando o braço em cima da cabeça e pegando um cacho de uvas que parecia pressionar contra seus lábios.

– Sim, bela, bela, bela! – murmurou Hoffmann.

E o apaixonado prevalecendo sobre o pintor, ele caiu de joelhos e, com um movimento rápido como o pensamento, pegou a mão de Arsène e cobriu-a de beijos.

Arsène retirou a mão com mais surpresa do que raiva.

– O que o senhor está fazendo afinal? – perguntou ao jovem.

No mesmo instante, antes mesmo de ter tempo de se reconhecer, empurrado pelas duas mulheres, Hoffmann foi lançado para fora da saleta, cuja porta se fechou atrás dele, e dessa vez, realmente louco de amor, de raiva e de ciúme, atravessou o salão cambaleando, escorregou pela rampa mais do que desceu a escada e, sem saber como chegara ali, encontrou-se na rua, tendo deixado na saleta íntima de Arsène seus pincéis, sua aquarela e sua paleta, o que não era nada, mas também seu chapéu, o que podia ser muito.

13
O TENTADOR

O que tornava a situação de Hoffmann ainda mais terrível, porque acrescentava humilhação à dor, é que não fora, era evidente para ele, chamado à casa de Arsène como um homem que ela notara na platéia da Ópera, mas pura e simplesmente como um pintor, como uma máquina de retratos, como um espelho que reflete o corpo que lhe é apresentado. Daí a despreocupação de Arsène em deixar cair cada uma de suas vestimentas diante dele; daí a surpresa quando ele lhe beijou a mão; daí a raiva, quando, em meio ao beijo áspero com o qual ele lhe avermelhara o ombro, ele dissera-lhe que a amava.

E de fato não era loucura dele, simples estudante alemão que viera a Paris com trezentos ou quatrocentos táleres, isto é, com uma soma insuficiente para pagar o tapete de sua antecâmara, não era uma loucura dele aspirar a dançarina da moda, a moça sustentada pelo pródigo e voluptuoso Danton! Aquela mulher não era tocada pelo som das palavras e sim pelo som do ouro; seu amante não era aquele que a amava mais, era quem pagasse mais por ela. Se Hoffmann tivesse mais dinheiro que Danton, seria Danton quem seria colocado na rua quando Hoffmann chegasse.

Nesse meio tempo, o que havia de mais claro é que fora Hoffmann e não Danton quem fora lançado à rua.

Hoffmann seguiu rumo a seu quartinho, que lhe pareceu naquele momento mais humilde e triste do que nunca.

Antes de se ver diante de Arsène, acalentara esperanças; mas o que acabara de constatar, aquela despreocupação com relação a ele como homem, aquele luxo em meio ao qual encontrara a bela dançarina, e este não era apenas sua vida física, mas sua vida moral, tudo aquilo, a não ser por uma soma inesperada que caísse nas mãos de Hoffmann, isto é, a menos que acontecesse um milagre, tornava impossível ao jovem até a esperança da posse.

Por isso voltou para casa abatido: o sentimento singular que experimentava por Arsène, sentimento completamente físico, completamente marcado pela atração em que o coração não entrava, traduzira-se até então pelos desejos, pela irritação, pela febre.

Naquele momento, desejos, irritação e febre haviam se transformado em profunda prostração.

Uma única esperança restava a Hoffmann, a de encontrar o doutor negro e pedir-lhe conselhos sobre o que deveria fazer, embora houvesse naquele homem algo de estranho, de fantástico, de sobre-humano que o fazia acreditar que, assim que chegava perto dele, saía da vida real para entrar em uma espécie de sonho onde não o acompanhavam nem a vontade, nem o livre-arbítrio e onde ele se tornava o joguete de um mundo que existia para ele sem existir para os outros.

Por isso, na hora de costume, voltou no dia seguinte ao botequim da rue de la Monnaie; mas, por mais que se envolvesse em uma nuvem de fumaça, nenhum rosto que parecesse com o do médico aparecia no meio daquela bruma; por mais que fechasse os olhos, ninguém, quando tornava a abri-los, estava sentado no tamborete que ele colocara do outro lado da mesa.

Oito dias passaram-se assim.

No oitavo dia, impaciente, Hoffmann deixou o botequim da rue de la Monnaie uma hora mais cedo do que de hábito, ou seja, por volta das quatro horas da tarde, e, por Saint-Germain-l'Auxerrois e pelo Louvre, alcançou maquinalmente a rue Saint-Honoré.

Assim que ali chegou, percebeu que havia grande movimento junto ao cemitério dos Inocentes e foi se aproximando da place du Palais-Royal. Lembrou-se do que lhe acontecera no dia seguinte à sua chegada a Paris e reconheceu o mesmo barulho, o mesmo rumor que já o chocara quando da execução da senhora Du Barry. De fato eram as charretes da Conciergerie que, carregadas de condenados, iam à place de la Révolution.

O leitor já conhece o horror de Hoffmann por esse tipo de espetáculo; por isso, como as charretes avançassem depressa, ele correu para um café situado na esquina da rue de la Loi e voltou as costas para a rua, fechando os olhos e tapando as orelhas, pois os gritos da senhora Du Barry ainda ressoavam no fundo de seu coração; depois, quando supôs que as charretes já houvessem passado, voltou-se e viu, para sua grande surpresa, descendo de uma cadeira onde subira para enxergar melhor, seu amigo Zacharias Werner.

– Werner! – exclamou Hoffmann correndo para o jovem – Werner!

– Veja só, é você! – disse o poeta. – Onde você estava?

– Ali, ali, mas as mãos tapando os ouvidos para não ouvir os gritos daqueles infelizes, os olhos fechados para não vê-los.

– Na verdade, você fez muito mal, amigo, você é pintor – disse Werner. – E o que você veria iria fornecer-lhe o tema de um quadro maravilhoso. Sabe que na terceira charrete, havia uma mulher, uma maravilha, um pescoço, uns ombros e uns cabelos! cortados atrás, é verdade, mas que caíam de cada lado até o chão.

– Escute – disse Hoffmann – a esse respeito vi tudo o que se pode ver de melhor; vi a senhora Du Barry e não preciso ver outras. Se um dia eu quiser pintar um quadro, acredite-me, esse original vai me bastar; além disso, não quero mais pintar.

– E por quê? – perguntou Werner.

– Fiquei com horror da pintura.

– Mais um desapontamento.

– Meu caro Werner, se eu ficar em Paris, vou ficar louco.

– Você vai ficar louco em qualquer lugar, meu caro Hoffmann; então, tanto faz Paris ou outro lugar; enquanto isso, diga-me o que o está enlouquecendo.

– Oh, meu caro Werner, estou apaixonado.

– Por Antonia, já sei, você já me disse.

– Não, Antonia, Antonia é outra coisa, eu a amo. – Hoffmann estremeceu.

– Com todos os diabos! A distinção é sutil. Conte-me isso. Cidadão *officieux*, cerveja e copos!

Os dois jovens encheram seus cachimbos e sentaram-se dos dois lados da mesa mais escondida no canto do café.

Ali Hoffmann contou a Werner tudo o que lhe acontecera desde o dia em que fora à Ópera e vira Arsène dançar até o momento em que fora empurrado pelas duas mulheres para fora da saleta íntima.

– Muito bem! – comentou Werner quando Hoffmann acabou.

– Muito bem! – repetiu o último, bem surpreso por seu amigo não estar tão abatido quanto ele.

– Pergunto-me – retomou Werner – o que há de tão desesperador nisso tudo.

– O que acontece, meu caro, é que agora sei que só conseguiria ter essa mulher por dinheiro e assim perdi qualquer esperança.

– E por que perdeu qualquer esperança?

– Porque nunca terei quinhentos luíses para jogar a seus pés.

– Por que não? Eu consegui quinhentos luíses, mil luíses, dois mil luíses.

– E onde você quer que eu os consiga, ó Deus! – exclamou Hoffmann.

– Ora, no Eldorado de que lhe falei, na fonte do ouro, meu caro, no jogo.

– No jogo! – disse Hoffmann estremecendo. – Mas você bem sabe que jurei a Antonia não jogar mais.

– Ora! – disse Werner rindo, você também jurou ser-lhe fiel.

Hoffmann deu um longo suspiro e apertou o medalhão no peito.

– No jogo, amigo! – continuou Werner. – Que bela banca! Não é como a de Mannheim ou de Hamburgo que ameaça quebrar por algumas pobres mil libras. Um milhão, meu amigo, um milhão, moinhos de ouro! Foi lá que se refugiou, acho, todo o numerário da França; não esses papéis imprestáveis, o pobre papel-moeda da Revolução que nada vale, que perde três quartos de seu valor... belos luíses, belas moedas de dois luíses, belas moedas de quatro luíses! Você quer ver?

E Werner tirou do bolso um punhado de luíses que mostrou a Hoffmann e cujos raios jorraram pelo espelho de seus olhos até o fundo de seu cérebro.

– Ah, não, não, nunca! – exclamou Hoffmann, lembrando-se ao mesmo tempo da predição do velho oficial e do pedido de Antonia. – Nunca mais jogarei.

– Você faz mal. Com a sorte que tem no jogo, faria a banca quebrar.

– E Antonia, e Antonia?

– Bah! Caro amigo, quem vai dizer a Antonia que você jogou, que ganhou um milhão? Quem vai lhe dizer que com vinte e cinco mil libras você conquistou sua bela dançarina? Acredite-me, volte a Mannheim com novecentas e setenta e cinco mil libras, e Antonia não vai lhe perguntar onde você conseguiu suas quarenta e oito mil e quinhentas libras de renda, nem o que você fez com as vinte e cinco mil libras que faltam.

E, dizendo essas palavras, Werner levantou-se.

– Onde você vai? – perguntou-lhe Hoffmann.

– Vou encontrar minha amante, uma dama da Comédie-Française que me honra com sua bondade e que gratifico com a metade de meus lucros. Ora! Eu sou poeta, dirijo-me ao teatro literário; você é músico, escolheu o teatro de dança e de cantos. Boa sorte no jogo, caro amigo, meus cumprimentos à senhorita Arsène, não esqueça o número do salão de jogo é o 113. Adeus.

– Oh – murmurou Hoffmann – você já me disse isso, e eu não esqueci.

No entanto, apesar de Werner ter se afastado, Hoffmann não permaneceu sozinho. Cada palavra do amigo tornara-se, por assim dizer, visível e palpável: estava ali brilhando sob seus olhos, murmurando em seus ouvidos.

De fato, de onde Hoffmann poderia extrair ouro se não da fonte do ouro! A única chance de satisfazer um desejo impossível não fora encontrada? Ah, meu Deus! Werner dissera. Hoffmann já não fora infiel a parte de seu juramento? Que importância teria ele descumprir a outra?

Além do que Werner dissera: não eram vinte e cinco mil libras, cinqüenta mil libras, cem mil libras que ele poderia ganhar. Os horizontes materiais dos campos, das florestas, do próprio mar, têm um limite: o horizonte do tapete verde não tem.

O demônio do jogo é como Satanás: tem o poder de levar o jogador até a montanha mais alta da terra e de mostrar-lhe dali todos os reinos do mundo.

Ademais, que felicidade, que alegria, que orgulho, quando Hoffmann voltasse à casa de Arsène, à mesma saleta íntima da qual o haviam expulsado! Com que desdém supremo esmagaria aquela mulher e seu terrível amante quando, como única resposta a essas palavras: O que o senhor veio fazer aqui? ele deixasse, novo Júpiter, cair uma chuva de ouro na nova Dânae!

E tudo aquilo deixara de ser uma alucinação de seu espírito, um sonho de sua imaginação, tudo aquilo era a realidade, era possível. As chances de ganhar e de perder eram as mesmas; maiores as de ganhar; pois, como se sabe, Hoffmann tinha sorte no jogo.

Oh! esse número 113, esse número 113 com sua cifra ardente, como chamava Hoffmann, como o guiava, farol infernal, para aquele abismo no fundo do qual urra a Vertigem rolando em uma camada de ouro.

Hoffmann lutou durante mais de uma hora contra a mais ardente de todas as paixões. Em seguida, transcorrido esse prazo, sentindo que lhe era impossível resistir por mais tempo, jogou uma moeda de quinze soldos na mesa, deixando ao funcionário o resto como gorjeta e, correndo sem parar, atingiu o cais das Flores, subiu ao seu quarto, pegou os trezentos táleres que lhe restavam e sem se dar tempo de refletir, saltou em um carro gritando:

– Ao Palais-Egalité!

14
O NÚMERO 113

O Palais-Royal, que naquela época era chamado Palais-Égalité e que também fora batizado de Palais-National, pois na França a primeira coisa que os revolucionários fazem é mudar os nomes das ruas e das praças, prontos para devolvê-los quando das restaurações dos antigos regimes; como dizíamos, o Palais-Royal, é com esse nome que ele nos é mais familiar, não era naquela época o que é hoje; mas como pitoresco, até como estranheza, ele nada ficava a dever ao de hoje, principalmente no momento em que Hoffmann ali chegou.

Sua disposição pouco diferia da que vemos hoje, com a exceção de que o que hoje se chama a galeria de Orleans era ocupado por uma dupla galeria de estrutura de madeira, galeria que deveria ceder lugar mais tarde a um passeadouro de seis fileiras de colunas dóricas; em vez das tílias havia castanheiras no jardim e, no lugar da fonte, havia um circo, vasto edifício com estrutura de grades de metal, as bordas de lajotas e cujo topo era coroado de arbustos e flores.

Não creia, caro leitor, que esse circo era o espetáculo ao qual demos esse nome. Não, os acrobatas e os equilibristas que esgrimavam no circo do Palais-Égalité eram de um tipo diferente daquele acrobata inglês, Price, que alguns anos antes maravilhara tanto a França e gerara os Mazurier e os Auriol.

O circo era ocupado naqueles tempos pelos *Amigos da Verdade,* que lá se apresentavam, e era possível assistir às suas apresentações caso se assinasse o jornal *Boca de ferro*. Com seu número da manhã, era-se admitido à noite naquele local de delícias, onde se escutavam os discursos de todos os federados, reunidos, segundo diziam, com o louvável propósito de proteger os governantes e os governados, de *imparcializar* as leis e de ir buscar em todos os cantos do mundo um amigo da verdade de qualquer país, de qualquer cor, de qualquer opinião; em seguida, descoberta a verdade, ela era ensinada aos homens.

Como estão vendo, sempre houve na França gente convencida de que cabia a elas esclarecer as massas e de que o resto da humanidade não passava de uma horda absurda.

O que o vento fez, o que aconteceu com o nome, as idéias e as vaidades daquela gente?

Enquanto isso, o Circo fazia estardalhaço no Palais-Égalité em meio ao estardalhaço geral e mesclava sua parte ruidosa ao grande concerto que todas as noites despertava naquele jardim.

Porque, deve-se dizer, naqueles tempos de miséria, de exílio, de terrores e de condenações, o Palais-Royal tornara-se o centro onde a vida, comprimida o dia inteiro nas paixões e nas lutas, vinha, de noite, procurar o sonho e esforçar-se por esquecer aquela verdade em busca da qual se empenhavam os membros do Círculo Social e os associados do Circo. Enquanto todos os bairros de Paris estavam às escuras ou desertos, enquanto as patrulhas sinistras compostas dos carcereiros do dia e dos carrascos do dia seguinte rondavam como animais selvagens que procuram qualquer presa, enquanto no lar de um amigo ou de um parente morto ou emigrado os que haviam ficado cochichavam com tristeza seus temores e suas dores, o Palais-Royal irradiava como o deus do mal; iluminadas suas cento e oitenta arcadas, exibia suas jóias nas vitrines dos joalheiros. Lançava, finalmente, no meio das carmanholas e através da miséria geral suas filhas perdidas, cheias de diamantes, cobertas de branco e vermelho, vestidas apenas com o estritamente necessário de veludo ou de seda e passeando sob as árvores e nas galerias seu impudor esplêndido. Nesse luxo da prostituição havia uma última ironia contra o passado, um último insulto à monarquia.

Exibir aquelas criaturas com aqueles trajes de realeza era jogar lama após ter se jogado sangue no rosto daquela corte encantadora de mulheres tão luxuosas, da qual Maria Antonieta fora a rainha e que o furacão revolucionário levara do Trianon à praça da guilhotina, como um homem embriagado arrastasse na lama o vestido branco de sua noiva.

O luxo fora abandonado às moças mais vis; a virtude devia andar coberta de trapos.

Esta era uma das verdades descobertas pelo Círculo Social.

E contudo esse povo, que acabara de dar ao mundo um impulso tão violento, esse povo parisiense entre o qual infelizmente o raciocínio só ocorre após o entusiasmo, o que faz com que só tenha sangue-frio suficiente para se lembrar das besteiras que fez, como dizíamos, o povo, pobre, sem roupas, não se dava conta com perfeição da filosofia dessa antítese e não era com desprezo, mas com inveja, que andava ao lado dessas rainhas dos cabarés, dessas pavorosas majestades do vício. Depois quando, os sentidos animados pelo que via, quando, os olhos em chamas, queria levar a mão até esses corpos que pertenciam a todos, pediam-lhe ouro e, se não tivesse, rejeitavam-no ignominiosamente. Assim contradizia-se por toda a parte esse grande princípio de igualdade proclamado pelo machado, escrito com sangue e sobre o qual aquelas prostitutas do Palais-Royal tinham direito de escarrar rindo.

Em dias como aqueles, a sobreexcitação moral chegara a tal ponto que à realidade eram necessárias aquelas estranhas oposições. Não era mais sobre o vulcão, era dentro do próprio vulcão que se dançava, e os pulmões, habituados a uma atmosfera de enxofre e de lava não teriam mais se contentado com os perfumes mornos de outros tempos.

Assim o Palais-Royal erguia-se todas as noites, iluminando tudo com sua coroa de fogo. Gigolô de fogo, urrava acima da grande cidade morna:

– Caiu a noite, venham! Tenho tudo em mim, a fortuna e o amor, o jogo e as mulheres. Vendo tudo, até o suicídio e o assassinato. Vocês que não comem desde ontem, vocês que sofrem, que choram, venham até mim; verão como somos ricos, como rimos. Vocês têm uma consciência ou uma filha para vender? Venham! Seus olhos verão muito ouro, seus ouvidos escutarão muitas obscenidades; vocês vão caminhar totalmente dentro do vício, da corrupção e do esquecimento. Venham para cá esta noite, amanhã talvez estejam mortos.

Era este o motivo principal. Era preciso viver como se morria, depressa!

E todos iam.

No meio de tudo aquilo, o lugar mais freqüentado era naturalmente aquele onde se jogava. Era ali que se encontrava a forma de se livrar de tanta penúria.

De todos aqueles respiradouros ardentes era portanto o número 113 que lançava mais luz com sua lanterna vermelha, olho imenso do ciclope ébrio chamado Palais-Egalité.

Se o inferno tivesse um número, seria o 113.

Ah, tudo ali era previsto.

No térreo havia um restaurante; no primeiro andar, o salão de jogos: o peito do edifício encerrava o coração, o que é bem natural; no segundo andar, havia uma forma de gastar a força que o corpo adquirira no térreo, o dinheiro que o bolso ganhara.

Tudo estava previsto, repetimos, para o dinheiro não sair da casa.

E era rumo a essa casa que Hoffmann, o poético apaixonado por Antonia, estava correndo.

O 113 era onde é hoje, a algumas lojas da casa Corcelet.

Mal Hoffmann saltou do carro e pôs os pés na galeria do palácio, foi abordado pelas divindades do local devido a seus trajes estranhos que, naquele tempo, assim como hoje em dia, inspiravam mais confiança que o traje nacional.

Jamais um país é tão desprezado quanto por si mesmo.

– Onde é o número 113? – perguntou Hoffmann à moça que pegara em seu braço.

– Ah, você quer ir lá – disse Aspásia com desdém. – Muito bem, filhinho, é lá onde há uma lanterna vermelha. Mas trate de guardar dois luíses e lembre-se do 115.

Hoffmann mergulhou na alameda indicada, como Curtius no abismo, e um minuto depois estava no salão de jogos.

Nele reinava o mesmo barulho que em um leilão público.

É verdade que muitas coisas eram ali vendidas.

Os salões irradiavam douraduras, lustres, flores e mulheres mais belas, mais suntuosas, mais decotadas do que as que estavam embaixo.

O barulho que dominava todos os outros era o do ouro. Tratava-se do batimento desse coração imundo.

Hoffmann deixou à sua direita a sala onde se jogavam cartas e passou para o salão da roleta.

Em torno de uma grande mesa verde postavam-se os jogadores, todas pessoas reunidas com o mesmo objetivo e que apresentavam a mesma fisionomia.

Havia jovens, velhos, alguns cujos cotovelos já estavam gastos pela mesa. Entre esses homens, havia alguns que haviam perdido o pai na véspera ou pela manhã ou naquela mesma noite, todos os pensamentos voltados para a bolinha que girava. No jogador um único sentimento continua a viver, o desejo, e esse sentimento se nutre e aumenta em detrimento de todos os outros. O senhor de

Bassompierre, a quem se anunciou no momento em que ele começava a dançar com Maria de Médicis: "Sua mãe morreu", e que respondeu: "Minha mãe só morrerá depois de eu dançar", o senhor Bassompierre era um filho piedoso ao lado de um jogador. Um jogador em estado de jogo a quem se viesse anunciar uma coisa assim, nem mesmo responderia da mesma forma que o marquês: primeiro, porque seria perder tempo, depois porque um jogador, se nunca tem coração, tampouco tem espírito quando joga.

Quando não está jogando, acontece a mesma coisa, pensa em jogar.

O jogador tem todas as virtudes de seu vício. Está sóbrio, é paciente, infatigável. Um jogador que pudesse de repente desviar em proveito de uma paixão honesta, de um grande sentimento, a energia incrível que põe a serviço do jogo, transformar-se-ia instantaneamente em um dos maiores homens do mundo. Nunca César, Aníbal ou Napoleão tiveram, enquanto executavam seus maiores feitos, uma força igual à força do jogador mais obscuro. A ambição, o amor, os sentidos, o coração, o espírito, o ouvido, o olfato, o tato, enfim, todos os recursos vitais do homem, unem-se em uma única palavra e em um único objetivo: jogar. E não acreditem que o jogador joga para ganhar; começa querendo ganhar, mas acaba jogando por jogar, para ver cartas, para manipular ouro, para sentir as emoções estranhas que não se comparam com nenhuma das outras paixões da vida; que fazem com que, diante do ganho ou da perda, esses dois pólos entre os quais o jogador se move com a rapidez do vento, um dos quais queima como o fogo e o outro gela como o gelo, que fazem, como dizíamos, com que seu coração salte no peito sob o desejo ou sob a realidade como um cavalo sob o esporão, absorva como uma esponja todas as faculdades da alma, as comprima, as retenha e, feito o jogo, torne a jogá-las bruscamente em torno dele para tornar a pegá-las com mais força.

O que transforma a paixão do jogo em uma paixão mais forte do que todas as outras é que, jamais podendo ser satisfeita, jamais estagna. É uma amante que sempre se promete e jamais se dá. Mata, mas não cansa.

A paixão pelo jogo é a histeria do homem.

Para o jogador, tudo está morto: família, amigos, pátria. Seu horizonte são as cartas e a roleta. Sua pátria é a cadeira onde está sentado, o tapete verde em que se apóia. Se fosse condenado à fogueira como São Lourenço e o deixassem jogar, aposto que não sentiria as chamas! E que nem se viraria.

O jogador é silencioso. A palavra de nada lhe serve. Joga, ganha, perde. Deixa de ser um homem: é uma máquina. Por que falaria?

O ruído que havia nos salões não provinha portanto dos jogadores, mas dos crupiês que pegavam o ouro e gritavam com a voz anasalada:

– Façam seus jogos.

Naquele momento, Hoffmann deixara de ser um observador, a paixão o dominava em demasia; não fosse por isso teria uma série de estudos curiosos a fazer.

Esgueirou-se rapidamente em meio aos jogadores e chegou à beira do feltro. Ali encontrou-se entre um homem de pé, de carmanhola, e um velho sentado e fazendo cálculos com um lápis no papel.

Aquele velho que passara sua vida procurando dobrar a aposta, desperdiçava seus últimos dias tentando alcançar seu sonho e suas últimas moedas vendo-o fracassar.

A duplicação da aposta é tão impossível de encontrar quanto a alma.

Entre as cabeças de todos aqueles homens, sentados e de pé, apareciam cabeças de mulher apoiadas em seus ombros e chafurdando em ouro que, com uma habilidade sem igual e sem jogar, encontravam meios de ganhar a partir dos lucros de alguns e das perdas de outros.

À visão daqueles copos cheios de ouro e daquelas pirâmides de prata, seria bem difícil acreditar que a miséria pública era tão grande e que o ouro custava tão caro.

O homem de carmanhola jogou um pacote de papéis em um número.

– Cinqüenta libras – disse, para anunciar seu jogo.

– O que é isso? – perguntou o crupiê trazendo para si aqueles papéis com seu ancinho e pegando-os com a ponta dos dedos.

– É papel-moeda do governo – respondeu o homem.

– O senhor só tem esse dinheiro? – quis saber o crupiê.

– Só, cidadão.

– Então pode ceder seu lugar a outro.

– Por quê?

– Porque não aceitamos isso.

– É a moeda do governo.

– Melhor para o governo se conseguir usar essa moeda. Nós não a queremos.

– Ah, bom! – disse o homem pegando seu papel-moeda de volta – que dinheiro estranho, nem mesmo se pode perdê-lo.

E afastou-se amassando seu papel-moeda nas mãos.

– Façam seus jogos! – gritou o crupiê.

Hoffmann era jogador, como sabemos; mas dessa vez estava jogando mais pelo dinheiro do que pelo jogo.

A febre que o queimava fazia sua alma ferver no corpo como a água em uma panela.

– Cem táleres no 26! – gritou.

O crupiê examinou a moeda alemã como examinara o papel-moeda do governo.

– Vá trocar – disse a Hoffmann. – Só aceitamos dinheiro francês.

Hoffmann desceu como um louco, entrou em um cambista que por acaso também era alemão e trocou seus trezentos táleres por ouro, ou seja, por mais ou menos quarenta luíses.

A roleta girara três vezes na sua ausência.

– Quinze luíses no 26! – gritou, precipitando-se para a mesa, e insistindo, com essa incrível superstição dos jogadores, no número que a princípio escolhera por acaso e porque era naquele número que o homem com o papel-moeda quisera jogar.

– Os jogos estão encerrados! – gritou o crupiê.

A bolinha girou.

O vizinho de Hoffmann apanhou dois punhados de ouro e jogou-os no chapéu que mantinha entre as pernas, mas o crupiê pegou os quinze luíses de Hoffmann e de muitos outros.

Deu o número 16.

Hoffmann sentiu um suor frio cobrir-lhe a testa como um fio de malha de aço.

– Quinze luíses no 26! – repetiu.

Outras vozes disseram outros números, e a bolinha girou mais uma vez.

Desta feita, tudo coube à banca. A bolinha caíra no zero.

– Dez luíses no 26! – murmurou Hoffmann, a voz estrangulada. Em seguida, recuperando-se, disse: – Não, só nove; e ele tornou a pegar uma moeda de ouro para poder jogar uma última vez, para ter uma última esperança.

Saiu o 30.

O ouro retirou-se do feltro como a maré selvagem durante o refluxo.

Hoffmann cujo coração ofegava e que, através das batidas de seu cérebro, entrevia o rosto zombeteiro de Arsène e o rosto triste de Antonia; Hoffmann, como dizíamos, pousou, a mão crispada, seu último luís no 26.

O jogo foi feito em um minuto.

– Os jogos estão encerrados! – gritou o crupiê.

Hoffmann seguiu com um olhar ardente a bolinha que girava como se fosse sua própria vida que estivesse girando diante dele.

De repente jogou-se para trás, escondendo a cabeça entre as mãos.

Não apenas perdera, como não tinha mais nem um centavo nem com ele, nem em casa.

Uma mulher que estava ali e que seria possível se ter por vinte francos um minuto antes, deu um grito de alegria selvagem e agarrou o punhado de dinheiro que acabara de ganhar.

Hoffmann daria dez anos de sua vida por um dos luíses daquela mulher.

Com um movimento mais rápido que a reflexão, apalpou e revistou seus bolsos como que para não ter qualquer dúvida sobre a realidade.

Os bolsos estavam de fato vazios, mas ele sentiu algo redondo como um escudo no peito e pegou aquilo bruscamente.

Era o medalhão de Antonia de que ele se esquecera.

– Estou salvo! – gritou. E jogou o medalhão de ouro como aposta no número 26.

15
O MEDALHÃO

O crupiê pegou o medalhão de ouro e examinou-o:

– Senhor – disse a Hoffmann, porque no número 113 ainda tratavam as pessoas por senhor. – Senhor, vá vender isso se quiser e jogue-o em dinheiro; mas, repito, só aceitamos ouro ou dinheiro em moeda.

Hoffmann pegou seu medalhão e, sem dizer uma só palavra, saiu do salão de jogos.

No tempo que levou para descer a escada, muitos pensamentos, muitos conselhos e muitos pressentimentos zumbiram em torno dele; mas ele se fez de surdo a todos aqueles rumores vagos e entrou com brusqueza na loja do cambista que acabara, um instante antes, de dar-lhe luíses pelos seus táleres.

O bom homem estava lendo encostado com displicência em sua grande poltrona de couro, os óculos pousados na ponta de seu nariz iluminado por uma lâmpada baixa que emitia raios opacos, aos quais vinha acrescentar-se o reflexo ruço das moedas de ouro depositadas em suas bacias de cobre, estas emolduradas por uma grade fina de fio de ferro, enfeitada com cortininhas de seda verde, e ornada por uma portinha na altura da mesa, porta pela qual só uma mão poderia passar,

Jamais Hoffmann admirara tanto o ouro.

Arregalava os olhos, maravilhado, como se tivesse entrado em um raio de sol e no entanto acabara de ver no jogo mais ouro do que via ali; mas não se tratava do mesmo ouro filosoficamente falando. Entre o ouro ruidoso, rápido, agitado do 113, e o ouro tranqüilo, grave, mudo do cambista, havia a diferença que há entre os tagarelas vazios e sem espírito e os pensadores cheios de meditação. Não é possível se fazer nada de bom com o ouro da roleta ou das cartas, ele não pertence a quem o possui; ao contrário, aquele que o possui pertence a ele. Vindo de uma fonte corrompida, destina-se a um objetivo impuro. Há vida nele, mas uma vida ruim, e ele tem pressa de ir embora assim como veio. Só aconselha ao vício e só faz o bem, quando o faz, contra sua vontade; inspira desejos quatro, vinte vezes maiores do que vale e, uma vez possuído, parece que seu valor diminui; em suma, o dinheiro do jogo, segundo se o ganha ou se o quer, segundo se o perde ou conquista, tem um valor sempre fictício. Ora um punhado de ouro nada representa, ora uma única moeda encerra a vida de um homem; o ouro comercial, contudo, o ouro do cambista, o ouro como aquele que Hoffmann vinha buscar na loja de seu compatriota, vale de fato o preço que carrega em seu semblante, só sai de seu ninho de cobre contra um valor igual e até superior ao seu; não se prostitui passando, como uma cortesã sem pudor, sem preferência, sem amor, da mão de um para a mão do outro; tem estima por si mesmo; assim que sai do cambista, pode corromper-se, pode freqüentar uma sociedade vil, o que fazia talvez antes de chegar até ali, mas enquanto está na loja, é respeitável e deve ser considerado. É a imagem da necessidade e não do capricho. É adquirido, não se pode ganhá-lo; não é jogado bruscamente como simples fichas pela mão do crupiê. É contado com método, peça a peça, devagar, pelo cambista e com todo o respeito que lhe é devido. É silencioso, e esta é sua grande eloqüência; por isso Hoffmann, em cuja imaginação uma comparação desse tipo só levava um minuto para passar, começou a tremer diante da idéia de que talvez o cambista não quisesse jamais lhe dar aquele ouro tão real em troca de seu medalhão. Acreditou-se portanto obrigado, embora fosse uma perda de tempo, a emitir algumas perífrases e circunlocuções para chegar ao que queria, tanto mais porque não era um negócio que vinha propor, mas sim um favor que vinha pedir àquele cambista.

– Senhor – disse-lhe – fui eu quem há pouco vim trocar táleres por ouro.

– Sim, senhor, estou reconhecendo-o – murmurou o cambista.

– O senhor é alemão?

– Sou de Heidelberg.

– Estudei em Heidelberg.

– Que cidade encantadora!

– É mesmo.

Enquanto isso, o sangue de Hoffmann fervia. Parecia que cada minuto que fornecia àquela conversa banal era um ano de vida que perdia.

Retomou portanto com um sorriso:

– Achei que como compatriota eu poderia lhe pedir um favor.

– Que favor? – perguntou o cambista, o rosto aparentemente contrariado depois desta frase.

Um cambista não empresta mais do que uma formiga.

– Ceder-me três luíses por esse medalhão de ouro.

Ao mesmo tempo, Hoffmann passou o medalhão ao comerciante que, colocando-o sobre a balança, pesou-o:

– O senhor não preferiria vendê-lo a mim? – perguntou o cambista.

– Ah, não – exclamou Hoffmann. – Não, já é demais penhorá-lo; eu até gostaria de pedir-lhe, senhor, se é que pode me fazer esse favor, que guardasse esse medalhão com o maior cuidado, pois sou mais apegado a ele do que à minha vida e espero vir buscá-lo já amanhã: só o estou penhorando por me encontrar na situação em que estou.

– Então vou emprestar-lhe três luíses, senhor.

E o cambista, com toda a gravidade que acreditava ter de imprimir a tal ação, pegou três luíses e alinhou-os à frente de Hoffmann.

– Oh, obrigado, senhor, mil vezes obrigado! –

exclamou o poeta, que, apoderando-se das três moedas de ouro, desapareceu.

O cambista tornou em silêncio à sua leitura após ter depositado o medalhão em um canto da gaveta.

Àquele homem jamais ocorreria arriscar seu ouro pelo ouro do 113.

O jogador está tão próximo do sacrilégio que, ao apostar sua primeira moeda de ouro no número 26, pois queria arriscá-las uma a uma, Hoffmann pronunciou o nome de Antonia.

Enquanto a bolinha girou, Hoffmann não sentiu qualquer emoção; algo lhe dizia que ia ganhar.

Saiu o 26.

Radiante, Hoffmann pegou os trinta e seis luíses.

A primeira coisa que fez foi guardar três luíses na bolsinha de seu relógio para ter certeza de recuperar o medalhão de sua noiva, a cujo nome evidentemente devia esse primeiro ganho. Deixou trinta e três luíses no mesmo número e saiu o mesmo número.

Ganhou desta feita trinta e seis vezes trinta e três luíses, ou seja, mil cento e oitenta e oito luíses, ou seja, mais de vinte e cinco mil francos.

Então, colhendo com as duas mãos na fonte de riqueza sólida e pegando-a aos punhados, Hoffmann jogou ao acaso, em meio a um ofuscamento sem fim. A cada vez que jogava, a pilha de seu ganho aumentava, como uma montanha que sai da água de repente.

Havia dinheiro em seus bolsos, em seu paletó, em seu colete, no chapéu, nas mãos, na mesa, enfim, por toda parte. O ouro escorria diante dele da mão dos crupiês como o sangue de um grande ferimento. Ele tornara-se o Júpiter de todas as Dânaes presentes, e o caixa de todos os jogadores azarados.

Ele perdeu dessa maneira cerca de vinte mil francos.

Finalmente, pegando todo o ouro que tinha diante dele quando acreditou ter ganho o suficiente, fugiu, deixando cheios de admiração e de inveja todos os que ali se encontravam, e correu na direção da casa de Arsène.

Era uma hora da manhã, mas ele pouco se importava.

Com tamanha soma, achava que podia chegar a qualquer hora da noite que sempre seria bem-vindo.

Já antecipava a alegria de cobrir com todo aquele ouro o belo corpo que se descobrira diante dele e que, tendo permanecido de mármore diante de seu amor, iria animar-se diante de sua riqueza, como a estátua de Prometeu quando encontrou sua verdadeira alma.

Ia entrar na casa de Arsène, esvaziar os bolsos até a última moeda e dizer à dançarina: Agora ame-me. Depois, no dia seguinte, iria embora, para escapar, se possível, da lembrança daquele sonho febril e intenso.

Bateu à porta de Arsène como um senhor que volta à sua casa.

A porta abriu-se.

Hoffmann correu até o patamar da escada.

– Quem está aí? – gritou a voz do zelador.

Hoffmann não respondeu.

– Onde o senhor vai, cidadão? – repetiu a mesma voz, e uma sombra, vestida como todas as sombras se vestem à noite, saiu do alojamento e correu atrás de Hoffmann.

Naquela época, gostava-se muito de saber quem saía e principalmente quem entrava.

– Vou à casa da senhorita Arsène – respondeu Hoffmann lançando ao porteiro três ou quatro luíses pelos quais teria dado a alma uma hora antes.

Aquela maneira de se exprimir agradou ao funcionário.

– A senhorita Arsène não está mais aqui, senhor – ele explicou, achando com razão que devia substituir a palavra cidadão quando se tratava de um homem tão mão-aberta.

Um homem que pede pode dizer cidadão, mas um homem que recebe só pode dizer senhor.

– Como, Arsène não está mais aqui! – exclamou Hoffmann.

– Não, senhor.

– O senhor quer dizer que ela não voltou hoje à noite?

– Quero dizer que ela não vai mais voltar.

– Onde está, então?

– Não sei.

– Meu Deus, meu Deus! – disse Hoffmann; e pegou a cabeça com as duas mãos para conter sua razão prestes a escapar.

Tudo o que lhe acontecia havia algum tempo era tão estranho que a cada instante dizia para si mesmo: Pronto, chegou a hora de ficar louco!

– O senhor então não sabe da novidade? – retomou o porteiro.

– Que novidade?

– O senhor Danton foi detido.

– Quando?

– Ontem. Foi o senhor Robespierre quem fez isso. Que grande homem o cidadão Robespierre!

– E então?

– E então a senhorita Arsène foi obrigada a fugir; pois, como amante de Danton, ela poderia ser comprometida em todo esse caso.

– É verdade. Mas como fugiu?

– Como se foge quando se tem medo de perder a cabeça; correu para frente.

– Obrigado, meu amigo, obrigado – disse Hoffmann, e desapareceu após ter deixado mais algumas moedas na mão do porteiro.

Ao chegar à rua, Hoffmann se perguntou o que seria

dele e para que lhe serviria agora todo aquele ouro; pois, como o leitor deve estar imaginando, nem lhe passou pela cabeça a idéia de tornar a encontrar Arsène, como tampouco ocorreu-lhe voltar para casa e descansar.

Então também começou a andar para frente, fazendo o pavimento das ruas mornas ressoar sob as solas de suas botas e caminhando bem desperto em seu sonho doloroso.

A noite estava fria, e as árvores despojadas estremeciam com o vento da noite, como enfermas em delírio que tivessem abandonado o leito, a febre agitando seus membros magros.

A garoa gelada fustigava o rosto dos que passeavam à noite, e era raro uma janela iluminada, nas casas cuja massa se confundia com o céu escuro, de vez em quando perfurar a sombra.

No entanto o ar frio estava lhe fazendo bem. Sua alma consumia-se aos poucos naquela caminhada rápida e, caso possamos nos exprimir dessa maneira, sua efervescência moral volatizava-se. Ele sufocaria em um quarto; além disso, de tanto ir em frente, talvez encontrasse Arsène, quem sabe? Ao fugir, talvez a dançarina tivesse pego o mesmo caminho que ele ao sair de sua casa.

Desse modo, percorreu o bulevar deserto, atravessou a rue Royale como se, na falta de seus olhos que não enxergavam, seus pés reconhecessem por conta própria o lugar onde estava; ergueu a cabeça e parou, percebendo que estava indo diretamente para a place de la Révolution, para aquela praça à qual jurara jamais voltar.

Embora o céu estivesse muito escuro, uma silhueta ainda mais escura destacava-se no horizonte negro como tinta. Era a silhueta da máquina pavorosa, cuja boca úmida de sangue o vento da noite secava e que dormia esperando sua caravana diária.

Hoffmann não queria tornar a ver a praça durante o dia; era devido ao sangue que por ali escorria que não queria mais encontrar-se naquele local; porém, de noite não era a mesma coisa; havia para o poeta, em quem apesar de tudo o instinto poético estava de vigília todo o tempo, havia o interesse de ver, de tocar com o dedo no silêncio e na escuridão, o sinistro cadafalso cuja imagem sangrenta devia, àquela hora, apresentar-se a muitos espíritos.

Que contraste mais belo, ao sair da sala ruidosa de jogo, do que aquela praça deserta da qual o cadafalso era o eterno hóspede, após o espetáculo da morte, do abandono, da insensibilidade?

Hoffmann caminhava portanto em direção da guilhotina como se ela o atraísse como uma força magnética.

De repente, e sem quase saber como isto acontecera, encontrou-se face a face com ela.

O vento assobiava nas tábuas.

Hoffmann cruzou as mãos no peito e contemplou.

Quantas coisas devem ter nascido no espírito daquele homem que, os bolsos cheios de ouro e contando com uma noite de volúpia, passava solitário aquela noite diante do cadafalso!

Pareceu-lhe, em meio a seus pensamentos, que um queixume humano mesclava-se aos lamentos do vento.

Inclinou a cabeça para frente e escutou com atenção.

O queixume repetiu-se, vindo não de longe, mas de baixo.

Hoffmann examinou ao seu redor e não viu ninguém.

No entanto um terceiro gemido chegou até ele.

– Parece uma voz de mulher – murmurou – e parece que essa voz sai de baixo desse cadafalso.

Então, abaixando-se para examinar melhor, começou a dar a volta na guilhotina. Quando passava diante da terrível escada, seu pé bateu em algo; ele estendeu as mãos e tocou num ser agachado nos primeiros degraus da escada, todo vestido de preto.

– Quem é você – perguntou Hoffmann – você que está dormindo junto a um cadafalso?

E ao mesmo tempo ajoelhou-se para ver o rosto daquela com quem falava.

Mas ela não se mexia e, com os cotovelos apoiados nos joelhos, tinha a cabeça entre as mãos.

Apesar do frio da noite, seus ombros estavam quase que inteiramente nus, e Hoffmann conseguiu ver uma linha negra em torno de seu pescoço branco.

Aquela linha era um colar de veludo.

– Arsène – gritou.

– Sim! Sim! Arsène! – murmurou, a voz estranha, a mulher agachada, erguendo a cabeça e olhando para Hoffmann.

16
Um hotel da Rue Saint-Honoré

Hoffmann recuou assustado; apesar da voz, apesar do rosto, ainda duvidava. Porém, endireitando a cabeça, Arsène deixou suas mãos caírem sobre os joelhos e desnudando o pescoço, estas revelaram o estranho broche de diamantes que unia as duas pontas do colar de veludo e brilhava na noite.

– Arsène! Arsène! – repetiu Hoffmann.

Arsène levantou-se.

– O que está fazendo aqui a esta hora? – perguntou o jovem. – Como, com esse vestido cinza! Como, com os ombros nus!

– Ele foi preso ontem – disse Arsène. – Vieram me prender, fugi como estava, e hoje à noite, às onze horas, como achasse meu quarto pequeno demais e minha cama fria demais, saí de lá e vim até aqui.

Aquelas palavras eram ditas num tom singular, sem gestos, sem inflexões; saíam de uma boca empalidecida que se abria e fechava como que movida por uma mola: Arsène parecia um autômato falando.

– Mas – exclamou Hoffmann – você não pode ficar aqui!

– Para onde eu iria? Só quero voltar para onde estava o mais tarde possível; senti frio demais.

– Então venha comigo – exclamou Hoffmann.

– Com você! – espantou-se Arsène.

E pareceu ao jovem que daqueles olhos mornos caía sobre ele à luz das estrelas um olhar de desdém, similar ao que já o esmagara na encantadora ante-sala da rue de Hanovre.

– Sou rico, tenho ouro – exclamou Hoffmann.

Os olhos da dançarina lançaram um clarão.

– Vamos – disse – mas para onde?

– Onde!

De fato, para onde Hoffmann conduziria aquela mulher de luxo e sensualidade que, assim que saía dos palácios mágicos e dos jardins encantados da Ópera, estava habituada a pisar em tapetes persas e rolar em cachemiras da Índia?

Decerto não era para seu quartinho de estudante que poderia conduzi-la; ela sentir-se-ia tão apertada e com tanto frio quanto naquela residência desconhecida da qual falara havia pouco e para onde ela parecia temer tanto voltar.

– Para onde, de fato? – perguntou Hoffmann. – Quase não conheço Paris.

– Vou mostrar-lhe para onde – disse Arsène.

– Isso mesmo! – exclamou Hoffmann.

– Siga-me – disse a jovem.

E com a mesma postura rígida e automática que em nada se assemelhava àquela flexibilidade arrebatadora que Hoffmann admirara na dançarina, Arsène começou a caminhar à frente dele.

Nem ocorreu ao jovem oferecer-lhe o braço; ele a seguiu.

Arsène tomou a rue Royale, que naquela época se chamava rue de la Révolution, virou à direita na rue Saint-Honoré, que se chamava simplesmente rue Honoré, e, parando diante da fachada de um hotel magnífico, bateu à porta.

Esta se abriu imediatamente.

O porteiro olhou para Arsène com espanto.

– Fale – disse ela ao jovem – ou não me deixarão entrar e serei obrigada a voltar a me sentar ao pé da guilhotina.

– Meu amigo – disse Hoffmann com animação passando entre a jovem e o porteiro – quando atravessava os Champs-Elysées, ouvi alguém gritar por socorro; cheguei a tempo de impedir que a senhora fosse assassinada, mas tarde demais para impedir que fosse roubada. Dê-me depressa seu melhor quarto; faça com que acendam um bom fogo e sirvam um bom jantar. Aqui está um luís para você.

E ele jogou um luís de ouro na mesa onde havia uma lâmpada, todos os raios da qual pareceram concentrar-se na face brilhante de Luís XV.

Um luís era uma boa soma naquela época; representava novencentos e vinte e cinco francos em papel-moeda do governo revolucionário.

O porteiro tirou seu boné sujo e tocou uma campainha. Um menino acorreu.

– Rápido! Rápido! Um quarto! O mais bonito do hotel para o senhor e a senhora.

– Para o senhor e a senhora – repetiu o menino surpreso olhando alternadamente para os trajes mais do que simples de Hoffmann e para os trajes mais do que leves de Arsène.

– Isso mesmo – disse Hoffmann – o melhor e o mais bonito; principalmente bem aquecido e iluminado. Aqui está um luís para você.

O menino pareceu sofrer a mesma influência que o porteiro, curvou-se diante do luís e mostrou uma grande escadaria à meia-luz dada a hora avançada da noite, mas nos degraus da qual, num luxo bem extraordinário para a época, estava estendido um tapete.

– Subam – disse – e esperem à porta do número 3.

Depois desapareceu correndo.

No primeiro degrau da escadaria, Arsène parou.

A leve sílfide parecia ter uma dificuldade invencível para erguer o pé.

Parecia que seu leve sapato de cetim tinha solas de chumbo.

Hoffmann ofereceu-lhe o braço.

Arsène apoiou a mão no braço que o jovem lhe apresentava e, embora ele não sentisse a pressão do punho da dançarina, sentiu o frio que aquele corpo transmitia ao seu.

Em seguida, com um esforço violento, Arsène subiu o primeiro degrau e sucessivamente os outros; mas cada degrau arrancava-lhe um suspiro.

– Oh, pobre mulher – murmurou Hoffmann – como deve ter sofrido!

– Sim, sim – respondeu Arsène – muito... sofri muito.

Chegaram à porta do número 3.

Quase ao mesmo tempo que eles, apareceu o menino carregando um verdadeiro braseiro; abriu a porta do quarto e, num instante, a lareira inflamou-se e as velas acenderam-se.

– Você deve estar com fome – insinuou Hoffmann.

– Não sei – respondeu Arsène.

– A melhor ceia que puder nos fornecer, garçom – disse Hoffmann.

– Senhor – observou o menino – não se diz mais garçom, e sim *officieux*. Mas afinal o senhor paga tão bem que pode me chamar como quiser.

E, encantado com a brincadeira, saiu dizendo:

– A ceia para daqui a cinco minutos!

A porta fechada atrás do *officieux*, Hoffmann lançou com avidez os olhos na direção de Arsène.

Ela estava com tanta pressa de se aproximar do fogo que nem puxara uma poltrona para perto da lareira; simplesmente agachara-se junto a ela, na mesma posição em que Hoffmann a encontrara diante da guilhotina e ali, os cotovelos sobre os joelhos, parecia ocupada em manter com suas duas mãos a cabeça erguida sobre os ombros.

– Arsène! Arsène! – disse o jovem. – Falei para você que estava rico, não é? Olhe e verá que não menti para você.

Hoffmann começou virando seu chapéu sobre a mesa; o chapéu estava cheio de moedas de um e dois luíses, e eles caíram do chapéu sobre o mármore com aquele ruído de ouro tão notável e fácil de distinguir entre todos os ruídos.

Em seguida, após o chapéu, esvaziou seus bolsos e, um após o outro, seus bolsos verteram o imenso butim que ele acabara de conquistar no jogo.

Uma pilha de ouro móvel e resplandecente amontoou-se sobre a mesa.

Com esse ruído, Arsène pareceu reanimar-se; virou a cabeça, e a visão pareceu concluir a ressurreição que começara pela audição.

Ela levantou-se ainda rígida e imóvel; mas seus lábios pálidos sorriam, seus olhos vítreos, clareando, lançavam raios que cruzavam com os do ouro.

– Oh – ela disse – tudo isto é seu?

– Não meu, mas seu, Arsène.

– Meu! – surpreendeu-se a dançarina.

E ela mergulhou suas mãos pálidas no monte de metal.

Os braços da moça desapareceram até o cotovelo.

Então aquela mulher, para a qual o ouro fora a vida, pareceu recuperar a vida em contato com o ouro.

– Meu! – dizia. – Meu! – E ela pronunciava aquelas palavras num tom vibrante e metálico que combinava incrivelmente com o tilintar dos luíses.

Dois garçons entraram carregando uma mesa servida, que quase deixaram cair quando viram aquela montanha de riqueza que as mãos crispadas da jovem manipulavam.

– Muito bem – disse Hoffmann – vinho da Champagne e deixem-nos a sós.

Os garçons trouxeram muitas garrafas de vinho da Champagne e retiraram-se.

Hoffmann foi empurrar a porta que aferrolhou atrás deles.

Em seguida, os olhos ardentes de desejo, voltou-se para Arsène, que encontrou perto da mesa continuando a colher a vida, não na fonte da Juventude, mas na fonte da Riqueza.

– E então? – perguntou-lhe.

– Como é lindo o ouro – disse. – Fazia muito tempo que eu não tocava nele.

– Vamos, venha cear – disse Hoffmann – e depois você poderá banhar-se à vontade, se quiser, Dânae, nesse ouro.

E ele arrastou-a em direção à mesa.

– Estou com frio! – ela disse.

Hoffmann olhou ao seu redor; as janelas e a cama eram cobertas por tecidos adamascados vermelhos: arrancou uma cortina da janela e estendeu-a a Arsène.

Arsène cobriu-se com a cortina, que pareceu drapear-se como os vincos de um manto antigo e, sob o tecido vermelho, sua cabeça pálida adquiriu ainda mais originalidade.

Hoffmann chegou quase a sentir medo.

Ele sentou-se à mesa, verteu para si e bebeu dois ou três cálices de vinho da Champagne um após o outro. Então, pareceu-lhe que uma leve cor subia aos olhos de Arsène.

Encheu o cálice da moça, e ela bebeu por sua vez.

Depois quis que ela comesse. Mas ela recusou.

E como Hoffmann insistisse:

– Eu não conseguiria engolir – disse.

– Então vamos beber.

Ela estendeu o cálice.

– Isso mesmo, vamos beber.

Hoffmann estava com sede e com fome; ele bebeu e comeu.

Sobretudo bebeu; sentia que precisava de ousadia; não porque Arsène, como na casa dela, parecesse disposta a resistir a ele pela força ou pelo desdém, mas porque algo de gelado emanava do corpo da bela conviva.

À medida que bebia, pelo menos os olhos de Arsène se animavam; só que quando, por sua vez, Arsène esvaziava o copo, algumas gotas rosadas rolavam da parte inferior do colar de veludo no peito da dançarina. Hoffmann olhava sem entender, porém, sentindo algo terrível e misterioso naquilo, combateu seus arrepios internos repetindo os brindes que fazia aos belos olhos, à bela boca, às belas mãos da dançarina.

Ela o acompanhava, bebendo tanto quanto ele e parecendo se animar, não com o vinho que bebia, mas com o vinho que Hoffmann bebia.

De repente um tição rolou do fogo.

Hoffmann seguiu com os olhos a direção da brasa, que só parou quando encontrou o pé descalço de Arsène.

Provavelmente para se aquecer Arsène tirara os sapatos e as meias; seu pezinho branco como o mármore estava pousado no mármore da lareira, também branco como o pé com o qual parecia fundir-se.

Hoffmann deu um grito.

– Arsène! Arsène! Cuidado – disse.

– Com o quê? – perguntou a dançarina.

– Com esse tição... esse tição que está tocando em seu pé.

E de fato cobria metade do pé de Arsène.

– Tire-o daqui – disse ela tranqüilamente.

Hoffmann abaixou-se, tirou o tição e percebeu com terror que a brasa não queimara o pé da moça, mas que o pé da moça apagara a brasa.

– Bebamos! – disse ele.

– Bebamos! – disse Arsène.

E ela estendeu seu cálice.

Esvaziaram a segunda garrafa.

Entrementes Hoffmann sentia que a embriaguez do vinho não lhe bastava.

Viu um piano.

– Bem – exclamou.

Ele compreendera o recurso que lhe era oferecido pela embriaguez da música.

Precipitou-se para o piano.

Então sob seus dedos nasceu com toda a naturalidade a ária que Arsène dançava com mais duas bailarinas na ópera *Páris* quando a vira pela primeira vez.

Só que Hoffmann tinha a impressão de que as cordas do piano eram de aço. Aquele único instrumento fazia um som semelhante a toda uma orquestra.

– Ah, veio a calhar – disse Hoffmann.

Ele acabara de encontrar naquele som a embriaguez que buscava. Arsène, por sua vez, levantou-se aos primeiros acordes.

Aqueles acordes, como uma rede de ferro, pareceram envolver toda a sua pessoa.

Ela jogou longe a cortina de adamascado vermelho, e, coisa estranha, como uma mudança mágica ocorre no teatro sem que se saiba como, nela operou-se uma mudança e, em vez de seu vestido cinzento, em vez de seus ombros sem enfeites, ela tornou a aparecer com os trajes de Flora, cheia de flores, vaporosa de gaze, estremecendo de volúpia.

Hoffmann lançou um grito e, com mais energia ainda, fez jorrar um vigor infernal daquele peito do cravo, que ressoava por inteiro sob suas fibras de aço.

Então a mesma miragem voltou a perturbar a mente de Hoffmann. Aquela mulher saltitante que se animara aos poucos, operava sobre ele uma atração irresistível. Como palco ela tomara todo o espaço que separava o piano da alcova e, sobre o fundo vermelho da cortina, destacava-se como uma aparição do inferno. Toda vez que tornava do fundo em direção a Hoffmann, ele se erguia da cadeira; toda vez que ela se afastava para o fundo, Hoffmann sentia-se arrastado por seus passos. Finalmente, sem que Hoffmann compreendesse como a coisa acontecia, o movimento sob seus dedos mudou; deixou de tocar a ária que ouvira para tocar uma valsa; a valsa era *Desejo* de Beethoven; ela viera, como uma expressão de seu pensamento, colocar-se sob seus dedos. Arsène, por sua vez, mudara o andamento; primeiro girou sobre si mesma, depois, alargando aos poucos o giro que traçava, aproximou-se de Hoffmann. Ofegante, Hoffmann sentia a moça vindo, aproximando-se; compreendia que no último círculo ela ia tocá-lo e que então seria obrigado por sua vez a levantar-se e participar daquela valsa ardente. Dentro dele agitavam-se ao mesmo tempo o desejo e o medo. Finalmente, passando, Arsène estendeu a mão e roçou-o com a ponta dos dedos. Hoffmann deu um grito, pulou como se uma faísca elétrica tivesse tocado nele, lançou-se na pista da dançarina, alcançou-a, abraçou-a, continuando no pensamento a ária interrompida na realidade, apertando contra o peito aquele corpo que recuperara sua elasticidade, aspirando os olhares de seus olhos, o sopro de sua boca, devorando com suas aspirações aquele pescoço, aqueles ombros, aqueles braços; girando não mais em um ar respirável, mas em uma atmosfera de chama que, penetrando até o fundo do peito dos dois valsadores, acabou jogando-os ofegantes e no desvanecimento do delírio no leito que os esperava.

Quando Hoffmann despertou na manhã seguinte, um daqueles dias descoloridos dos invernos de Paris acabara de nascer e penetrava até a cama pela cortina arrancada da janela. Olhou ao seu redor, ignorando onde estava e sentiu que uma massa inerte pesava em seu braço esquerdo. Inclinou-se para o lado em que o torpor alcançava o seu coração e reconheceu, deitada ao seu lado, não mais a bela dançarina da Ópera, mas a pálida moça da place de la Révolution.

Então lembrou-se de tudo, tirou de baixo daquele corpo enrijecido seu braço gelado e, vendo que aquele corpo continuava imóvel, pegou um candelabro onde queimavam ainda cinco velas e, ao clarão tanto do dia quanto das velas, percebeu que Arsène não se mexia, estava pálida e permanecia com os olhos fechados.

A primeira idéia que lhe ocorreu foi que o cansaço havia prevalecido sobre o amor, o desejo e a vontade e que a moça tinha desmaiado. Pegou sua mão, estava gelada; procurou as batidas de seu coração, o coração deixara de bater.

Então uma idéia horrível atravessou-lhe a cabeça; ele pendurou-se no cordão de uma campainha, que se rompeu entre suas mãos, e em seguida, precipitando-se para a porta, abriu-a e lançou-se escada abaixo gritando:

– Socorro! Socorro!

Um homenzinho negro subia justamente no mesmo minuto a escada que Hoffmann descia. Ergueu a cabeça: Hoffmann deu um grito. Acabara de reconhecer o médico da Ópera.

– Ah, é você, meu caro – disse o doutor também reconhecendo Hoffmann. – O que aconteceu, por que todo esse barulho?

– Venha, venha – disse Hoffmann não se dando ao trabalho de explicar ao médico o que esperava dele e com a esperança de que a visão de Arsène desmaiada impressionaria mais o doutor que todas as suas palavras. – Venha!

E arrastou-o para o quarto.

Depois, empurrando-o para o leito, enquanto com a outra mão apanhava o candelabro que aproximou do rosto de Arsène:

– Veja – disse.

Mas, em vez de demonstrar temor:

– Ah, é bem de você, meu jovem – disse – é bem de você ter resgatado esse corpo para que não apodrecesse em uma vala comum... Muito bem, meu jovem, muito bem!

– Esse corpo... – murmurou Hoffmann – resgatado da vala comum... O que o senhor está dizendo, meu Deus!

– Estou dizendo que nossa pobre Arsène, detida ontem às oito horas da manhã, foi julgada ontem às duas horas da tarde e foi executada às quatro horas da tarde.

Hoffmann achou que ia ficar louco; agarrou o doutor pelo colarinho.

– Executada ontem às quatro horas! – ele gritou a voz estrangulada. – Arsène executada!

E soltou uma gargalhada, um riso tão estranho, tão estridente, tão fora de qualquer modulação do riso humano que o doutor nele fixou um olhar quase transtornado.

– O senhor duvida? – perguntou.

– Como! – exclamou Hoffmann. – Se duvido! Acredito. Ceei, valsei, dormi essa noite com ela.

– Então é um caso estranho que anotarei nos anais da medicina – disse o médico – e o senhor assinará os autos, não é?

– Não posso assinar, pois vou desmenti-lo, pois lhe digo que isso é impossível, que isso não pode ser verdade.

– Ah! O senhor diz que isso não pode ser verdade – retomou o doutor. – O senhor diz isso a mim, o médico das prisões; a mim que fiz tudo o que pude para salvá-la e que não consegui; a mim que lhe disse adeus ao pé da charrete! O senhor diz que não é verdade! Espere!

Então o médico estendeu o braço, apertou a molinha de diamante que servia de fecho para o colar de veludo e puxou o veludo para si.

Hoffmann deu um grito terrível. Deixando de ser mantida pelo único laço que a ligava aos ombros, a cabeça da supliciada rolou da cama até o chão e só se deteve junto aos sapatos de Hoffmann, como o tição só parara junto ao pé de Arsène.

O jovem deu um salto para trás e precipitou-se pelas escadas urrando:

– Estou louco!

A exclamação de Hoffmann nada tinha de exagerada: essa divisão frágil que testa além da medida as faculdades cerebrais do poeta, essa divisão frágil, como dizíamos, que, separando a imaginação da loucura às vezes parece prestes a romper-se, estalava em sua cabeça com o ruído de uma muralha que se fende.

Porém, naquela época, não se corria por muito pelas ruas de Paris sem se dizer por que se estava correndo: os parisienses haviam se tornado muito curiosos no ano da graça de 1793; e todas as vezes que um homem passava correndo, detinha-se esse homem para saber atrás do que estava correndo ou quem estava correndo atrás dele.

Detiveram portanto Hoffmann diante da igreja da Assunção, onde se montara um corpo de guarda, e conduziram-no ao chefe do posto.

Ali Hoffmann compreendeu o verdadeiro perigo que corria: uns achavam que ele era um aristocrata correndo para alcançar mais depressa a fronteira; outros gritavam: peguem o agente de Pitt e de Cobourg! Alguns gritavam: Ao tribunal revolucionário!, o que era ainda menos alegre. Às vezes escapava-se da força, testemunha o abade Maury, mas jamais do tribunal revolucionário.

Então Hoffmann tentou explicar o que lhe acontecera desde a noite da véspera. Contou o jogo, o ganho. Como, os bolsos cheios de ouro, correra para a rue de Hanovre; como a mulher que procurava não estava mais lá; como, dominado pela paixão que o incendiava, percorrera as ruas de Paris; como, passando pela place de la Révolution, encontrara a mulher sentada ao pé da guilhotina; como ela o conduzira para um hotel da rue Saint-Honoré e como ali, após uma noite durante a qual se sucederam todos os tipos de embriaguez, ele encontrara repousando entre seus braços não apenas uma mulher morta, mas ainda uma mulher decapitada.

Tudo aquilo era bem improvável; por isso poucos acreditaram na história de Hoffmann; os mais fanáticos pela verdade clamaram que era mentira, os mais moderados que ele estava louco.

Naquele momento um dos assistentes deu essa opinião luminosa:

– O senhor disse que passou a noite em um hotel da rue Saint-Honoré?

– Sim.

– Lá o senhor esvaziou seus bolsos cheios de ouro?

– Sim.

Lá o senhou deitou-se e ceou com a mulher cuja cabeça, rolando a seus pés, causou-lhe esse grande pânico que o atingiu quando nós o detivemos?

– Isso mesmo.

– Muito bem, vamos procurar o hotel; talvez não encontremos o ouro, mas encontraremos a mulher.

– Isso mesmo – gritaram todos – vamos procurar, vamos procurar!

Hoffmann preferiria não procurar; mas foi obrigado a obedecer à imensa vontade resumida em torno dele por aquelas palavras *vamos procurar*.

Saiu portanto da igreja e continuou a descer a rue Saint-Honoré procurando.

A igreja da Assunção não era longe da rue Royale. E, no entanto, por mais que Hoffmann procurasse, a princípio com negligência, depois com maior atenção, finalmente com vontade de achar, nada encontrou que lhe lembrasse o hotel onde entrara na véspera, onde passara a noite e de onde acabara de sair. Como esses palácios feéricos que desaparecem quando os maquinistas não precisam mais deles, o hotel da rue Saint-Honoré desaparecera depois que a cena infernal que tentamos descrever acabou.

Tudo aquilo não convenceu os curiosos que acompanhavam Hoffmann, que queriam de qualquer jeito uma solução qualquer por terem se incomodado; ora, essa solução só poderia ser a descoberta do cadáver de Arsène ou a detenção de Hoffmann como suspeito.

Porém, como não se encontrava o corpo de Arsène, era bem o caso de deter Hoffmann, quando de repente este viu na rua o homenzinho negro e chamou-o para socorrê-lo, evocando seu testemunho sobre a verdade da história que acabara de contar.

A voz do médico sempre tem grande autoridade sobre a multidão. Este enunciou oficialmente sua profissão, e deixaram-no aproximar-se de Hoffmann.

– Ah, meu pobre jovem! – disse, pegando a mão do poeta sob o pretexto de tomar-lhe o pulso, mas na realidade para aconselhá-lo, por uma pressão particular, a não desmenti-lo. – Pobre jovem, ele então fugiu!

– Fugiu de onde? Fugiu de quê? – exclamaram vinte vozes juntas.

– Sim, escapou de onde? – perguntou Hoffmann, que não queria aceitar o caminho de salvação que lhe era oferecido pelo doutor e que ele considerava humilhante.

– Ora, do hospício – disse o médico.

– Do hospício! – gritaram as mesmas vozes. – Que hospício?

– Do hospício de loucos.

– Ah, doutor, doutor – exclamou Hoffmann – não brinque!

– Pobre diabo! – exclamou o doutor sem parecer escutar Hoffmann. – O pobre diabo perdeu no cadafalso a mulher que amava.

– Ah, sim, sim – disse Hoffmann – eu a amava bastante mas não como a Antonia.

– Pobre rapaz! – disseram muitas mulheres que se encontravam ali e que começavam a lamentar Hoffmann.

– Bem, depois disso – continuou o doutor – ele é presa de uma alucinação terrível. Acha que está jogando... acha que está ganhando... Depois de jogar e ganhar, acha que pode possuir aquela que ama; depois, com seu ouro, percorre as ruas; encontra uma mulher ao pé da guilhotina, leva-a para algum palácio magnífico, para algum hotel esplêndido, passa a noite bebendo, cantando, fazendo música com ela; em seugida a encontra morta. Não foi isso que ele lhes contou?

– Foi isso mesmo – gritou a multidão – palavra por palavra.

– Muito bem – disse Hoffmann, o olhar faiscante – o senhor vai dizer que não é verdade, doutor? O senhor que abriu o broche de diamantes que prendia o colar de veludo. Ah, eu deveria ter desconfiado de alguma coisa quando vi o vinho da Champagne escorrer sob o colar, quando vi o tição ardente rolar sobre o seu pé nu, seu pé de morta que, em vez de ser queimado pelo tição, apagou-o.

– Vocês estão vendo, vocês estão vendo – disse o doutor, os olhos cheios de piedade e uma voz de lamento – está de novo sendo tomado pela sua loucura.

– Como, minha loucura! – exclamou Hoffmann. – Como, o senhor ousa dizer que não é verdade! O senhor ousa dizer que não passei a noite com Arsène ontem! O senhor ousa dizer que seu colar de veludo não era a única coisa que mantinha a cabeça sobre seus ombros! O senhor ousa dizer que, quando o senhor abriu o broche e tirou o colar, a cabeça não rolou pelo tapete! Vamos, doutor, vamos, o senhor sabe que o que estou dizendo é verdade.

– Meus amigos – disse o médico – os senhores estão bem convencidos agora, não é verdade?

– Claro que estamos – gritaram as cem vozes da multidão.

Os assistentes que não gritavam moviam melancolicamente a cabeça em sinal de adesão.

– Muito bem! – disse o médico. – Chamem um fiacre para que eu possa levá-lo de volta.

– Para onde? – gritou Hoffmann. – Para onde o senhor quer me levar de volta?

– Para onde? – disse o médico. – Para o hospício do qual você fugiu, meu bom amigo.

Depois, bem baixinho:

– Faça o que eu estou dizendo – disse o médico – ou não respondo por você. Essas pessoas vão achar que você zombou delas e vão despedaçá-lo.

Hoffmann deu um suspiro e deixou os braços caírem.

– Olhem, como estão vendo – disse o médico – está de novo tranqüilo como um carneirinho. A crise passou. Ali, amigo, ali!

E o doutor parecia acalmar Hoffmann com a mão, como se acalma um cavalo que disparou ou um cão nervoso.

Enquanto isso, haviam parado um fiacre para os dois.

– Suba depressa – disse o médico a Hoffmann.

Hoffmann obedeceu; todas as suas forças haviam se desgastado naquela luta.

– Para Bicêtre! – disse bem alto o doutor subindo atrás de Hoffmann.

Depois, bem baixinho para o jovem:

– Onde quer descer? – perguntou.

– No Palais-Égalité – articulou Hoffmann penosamente.

– Vamos, cocheiro – gritou o médico.

Em seguida despediu-se da multidão.

– Viva o doutor! – gritou a multidão.

Quando a multidão está sob o domínio de uma paixão, ela sempre precisa gritar viva alguém ou morra alguém.

No Palais-Égalité, o doutor mandou o fiacre parar.

– Adeus, meu jovem – disse o médico a Hoffmann – e, se quiser um conselho meu, parta para a Alemanha o mais depressa possível; não é uma época boa na França para homens que têm uma imaginação como a sua.

E empurrou Hoffmann para fora do fiacre. O jovem, ainda completamente desconcertado pelo que acabara de lhe acontecer, iria parar diretamente debaixo de uma charrete que vinha em sentido contrário ao do fiacre se um rapaz que passava não tivesse se precipitado e retido Hoffmann em seus braços no momento em que o cocheiro, por sua vez, fazia um esforço para deter seus cavalos.

O fiacre prosseguiu seu caminho.

Os dois jovens, o que quase caíra e o que o retivera, deram juntos um único e mesmo grito:

– Hoffmann!

– Werner!

Depois, vendo o estado de atonia em que seu amigo se encontrava, Werner arrastou-o para o jardim do Palais-Royal.

Então tudo o que acontecera voltou à mente de Hoffmann com uma vivacidade ainda maior, e ele lembrou-se do medalhão de Antonia que empenhara junto ao cambista alemão.

Imediatamente deu um grito ao pensar que havia esvaziado todos os seus bolsos na mesa de mármore do hotel. Porém, ao mesmo tempo, recordou-se que para separá-los, havia colocado três luíses de lado na bolsinha de seu relógio.

A bolsinha havia guardado seu depósito com fidelidade; os três luíses continuavam ali.

Hoffmann escapou dos braços de Werner gritando-lhe: – Espere-me! – e correu para a lojinha do cambista.

A cada passo que dava, parecia avançar saindo de um vapor denso através de uma nuvem que se iluminava continuamente para uma atmosfera pura e resplandecente.

À porta do cambista, parou para respirar; a antiga visão, a visão da noite praticamente se dissipara.

Recuperou o fôlego por um instante e depois entrou.

O cambista estava no mesmo lugar, da mesma forma que as bacias de cobre.

Com o barulho que Hoffmann fez ao entrar, o cambista ergueu a cabeça.

– Ah! Ah! – disse – é você, meu jovem compatriota; confesso-lhe que não contava mais revê-lo.

– Presumo que o senhor não está dizendo isso porque dispôs de meu medalhão – exclamou Hoffmann.

– Não, prometi guardá-lo para você e, mesmo que me dessem vinte e cinco luíses em vez dos três que você me deve, o medalhão não sairia de minha loja.

– Aqui estão os três luíses – disse Hoffmann com timidez. – Mas confesso que não tenho nada para lhe oferecer de juros.

– Juros por uma noite – disse o cambista – ora, você está brincando; juros de três luíses por uma noite e para um compatriota, nunca!

E ele devolveu-lhe o medalhão.

– Obrigado, senhor – disse Hoffmann. – E agora – continuou com um suspiro –, vou pegar dinheiro para voltar a Mannheim.

– Para Mannheim – disse o cambista – veja só, você é de Mannheim?

– Não, senhor, não sou de Mannheim, mas moro em Mannheim; minha noiva está em Mannheim; ela me espera, e estou voltando para Mannheim para desposá-la.

– Ah! – disse o cambista.

Quando o jovem já estava com a mão na maçaneta da porta:

– O senhor conhece em Mannheim um velho amigo meu, um velho músico? – continuou o cambista.

– Chamado Gottlieb Murr? – exclamou Hoffmann.

– Exatamente! O senhor o conhece?

– E muito! Com certeza, já que sua filha é minha noiva.

– Antonia! – exclamou o cambista por sua vez.

– Isso mesmo, Antonia – respondeu Hoffmann.

– Como, meu jovem! Então está voltando para Mannheim para se casar com Antonia?

– Com certeza.

– Pois fique em Paris, sua viagem será inútil.

– Por quê?

– Porque aqui está uma carta de seu pai que me anuncia que há oito dias, às três horas da tarde, Antonia morreu de repente enquanto tocava harpa.

O dia coincidia com aquele em que Hoffmann fora até a casa de Arsène para fazer seu retrato; a hora coincidia com o momento em que apertara os lábios no ombro nu da dançarina.

Trêmulo, pálido, arrasado, Hoffmann abriu o medalhão para levar a imagem de Antonia até seus lábios, mas o marfim tornara-se tão branco e puro como se ainda estivesse virgem do pincel do artista.

Nada restava de Antonia a Hoffmann por duas vezes infiel a seu juramento, nem mesmo a imagem daquela a quem jurara amor eterno.

Duas horas depois, Hoffmann, acompanhado de Werner e do bom cambista, subia na diligência de Mannheim, onde chegou bem a tempo de acompanhar o corpo de Gottlieb Murr, que recomendara morrendo que o enterrassem bem ao lado de sua querida Antonia, ao cemitério.

Nota do Editor

Quando publicou *O colar de veludo* em 1850, Alexandre Dumas quis que sua narrativa fosse precedida de uma comovente homenagem póstuma ao escritor Charles Nodier. Reproduzimos aqui esse texto sob a forma de pósfácio.

Posfácio
O Arsenal

A 4 de dezembro de 1846, minha embarcação ancorada desde a véspera na baía de Túnis, acordei por volta das cinco horas da manhã com aquela impressão de melancolia que mantém os olhos úmidos e o peito inflado pelo dia inteiro.

Essa impressão provinha de um sonho.

Saltei de meu catre, enfiei um chinelo nos pés, subi à ponte e olhei à minha frente e ao meu redor.

Esperava que a paisagem maravilhosa que se desenrolava sob meus olhos distraísse minha mente daquela preocupação, tanto mais obstinada porque tinha uma causa menos real.

Diante de mim, ao alcance de um fuzil, o molhe, que se estendia do forte de la Goulette ao forte do Arsenal, deixando uma passagem estreita às embarcações que querem penetrar do golfo no lago. O lago, águas azuis como o céu que refletia, estava todo agitado em certos sítios pelo bater de asas de um bando de cisnes, enquanto, em uma das pilastras plantadas a intervalos para indicar os baixios, mantinha-se imóvel, tal como os pássaros que se esculpem nos sepulcros, um alcatraz que, de repente, se deixava cair na superfície da água com um peixe atravessado no bico, engolia o peixe, tornava a subir em sua pilastra e voltava à sua imobilidade taciturna até que um outro peixe, passando a seu alcance, solicitava seu apetite e, vencendo sua preguiça, o fazia desaparecer de novo para reaparecer mais uma vez.

E, enquanto isso, de cinco em cinco minutos, o ar era riscado por uma fila de flamingos cujas asas púrpuras se destacavam do branco fosco de sua plumagem e, formando um desenho quadrado, pareciam um baralho composto apenas de ases de ouros voando numa só linha.

No horizonte avistava-se Túnis, ou seja, um amontoado de casas quadradas sem janelas, sem aberturas, que subiam em anfiteatro, brancas como giz e destacando-se do céu com uma nitidez singular. À esquerda erguiam-se, como imensa muralha de ameias, as montanhas de Chumbo, cujo nome indica a cor escura; a seus pés rastejavam a mesquita e a aldeia dos Sidi-Fathallah; à direita, distinguia-se o túmulo de São Luís e a praça onde foi Cartago, duas das maiores lembranças que existem na história do mundo. Atrás de nós balançava ancorado o *Montezuma*, fragata a vapor magnífica com a força de quatrocentos cavalos.

Com certeza nisso havia bastante com que distrair a imaginação mais preocupada. À visão de todas aquelas riquezas, esquecer-se-ia a véspera, o dia presente e o dia seguinte. Mas minha mente estava a dez anos dali, obstinadamente assentada em um único pensamento que um sonho pregara em meu cérebro.

Meus olhos fixaram-se. Todo aquele panorama esplêndido apagou-se aos poucos na vacuidade de meu olhar. Logo deixei de ver tudo o que existia. A realidade desapareceu; de repente, no meio daquele vazio nebuloso, como que sob a magia de uma varinha de condão, esboçou-se um salão com lambris brancos, nas profundezas do qual, sentada diante de um piano onde seus dedos erravam com negligência, estava uma mulher, ao mesmo tempo inspirada e pensativa, uma musa e uma santa. Eu reconhecia aquela mulher e murmurei como se ela pudesse me ouvir:

– Ave, Maria, cheia de graças, senhor é convosco.

Em seguida, deixando de tentar resistir a esse anjo de asas brancas que, levando-me de volta aos dias de minha juventude e como uma visão encantadora, me mostrava aquela figura casta de moça, de jovem mulher e de mãe, deixei-me transportar por esse rio que se chama memória e que remonta ao passado em vez de descer ao futuro.

Fui então tomado por esse sentimento tão egoísta, e conseqüentemente tão natural, do homem, que o leva a não conservar seu pensamento só para si mesmo, que o leva a duplicar a extensão de suas sensações comunicando-as, e a verter finalmente em uma outra alma o licor doce ou amargo que enche a sua.

Peguei da pena e escrevi:

"A bordo do *Véloce*, diante de Cartago e Túnis, 4 de dezembro de 1846.

"Senhora,

Ao abrir uma carta datada de Cartago e de Túnis, a senhora decerto vai se perguntar quem poderia lhe escrever de semelhante local e até esperar receber um autógrafo de Régulo ou de Luís IX. É uma pena, senhora, mas quem coloca de tão longe sua humilde lembrança a seus pés não é nem herói, nem santo, e se algum dia já se pareceu ligeiramente com o bispo de Hipona, cujo túmulo ele visitou há três dias, essa semelhança só pode ser aplicável à primeira parte da vida desse grande homem. É verdade que, como o bispo, ele pode resgatar essa primeira parte da vida com a segunda. Mas já é bem tarde para se penitenciar e, segundo todas as probabilidades, ele morrerá como viveu, não ousando nem mesmo deixar atrás de si suas confissões, que, a rigor, podem deixar-se contar, mas praticamente não podem ser lidas.

A senhora já correu até a assinatura, não é, e já está sabendo com quem está tratando; de modo que agora a senhora deve estar se perguntando como, entre esse lago magnífico que é o túmulo de uma cidade e o pobre monumento que é o sepulcro de um rei, o autor dos *Mosqueteiros* e de *Monte-Cristo* pensou em lhe escrever, justamente à senhora, quando, em Paris, diante de sua porta, ele permanece às vezes um ano inteiro sem ir visitá-la.

Em primeiro lugar, senhora, Paris é Paris, ou seja, uma espécie de turbilhão em que se perde a memória de qualquer coisa em meio à algazarra do mundo e ao girar da terra. Em Paris comporto-me como o mundo e a terra; corro e volto sem contar que, quando não giro ou corro, escrevo. Mas então, senhora, é outra coisa e, quando escrevo, já não estou mais tão afastado da senhora como a senhora pensa, pois a senhora é uma das raras pessoas para as quais escrevo, e é bem extraordinário que não me diga quando concluo um capítulo com o qual fico satisfeito, ou um livro que saiu bem: Marie Nodier, esse espírito raro e encantador, vai ler isso; e fico orgulhoso, senhora, pois espero que, após ler o que acabo de escrever, talvez ainda cresça em algumas linhas em seu pensamento.

Tudo isso, senhora, para voltar ao que estou pensando, que esta noite sonhei, não ouso dizer com a senhora, mas sobre a senhora, esquecendo as vagas que balançavam uma gigantesca embarcação a vapor que me foi emprestada pelo governo e na qual ofereço hospitalidade a um de seus amigos e a um de seus admiradores, a Boulanger e a meu filho, sem contar Giraud, Maquet, Chancel e Desbarolles, que estão entre seus conhecidos; tudo isso, como dizia, para relatar-lhe que adormeci sem pensar em nada e, como quase estou no país das *Mil e uma noites*, um gênio visitou-me e fez-me entrar em um sonho do qual a senhora era a rainha. O lugar para onde me conduziu, ou melhor reconduziu, senhora, era bem melhor do que um palácio, bem melhor do que um reino; era essa boa e excelente casa do Arsenal na época de sua alegria e de sua felicidade, quando nosso bem-amado Charles fazia as honras da casa com toda a franqueza da hospitalidade antiga e nossa muito respeitada Marie com toda a graça da hospitalidade moderna.

Ah, creia, senhora, que, ao escrever essas linhas, acabo de deixar escapar um belo suspiro. Aquela época foi muito feliz para mim. Seu espírito encantador era oferecido a todos e às vezes, ouso dizer, a mim mais do que a qualquer outro. A senhora está vendo que é um sentimento egoísta que me aproxima da senhora. Eu apoderava-me de algo de sua adorável alegria, como o calhau do poeta Saadi apoderava-se de parte do perfume da rosa.

A senhora lembra-se do traje de arqueiro de Paul? Lembra-se dos sapatos amarelos de Francisque Michel? Lembra-se de meu filho de doqueiro? Lembra-se do canto em que estava o piano e onde a senhora cantava Lazzara, aquela maravilhosa melodia que me prometeu e que, seja dito sem críticas, jamais me deu?

Oh, como estou apelando para suas lembranças, vamos mais longe ainda: lembra-se de Fontaney e Alfred Johannot, as duas figuras veladas que permaneciam sempre tristes em meio a nossas risadas, pois nos homens que devem morrer jovens há sempre um vago pressentimento do túmulo? Lembra-se de Taylor, sentado em um canto, imóvel, mudo e devaneando sobre em que outra viagem poderia enriquecer a França com um quadro espanhol, um baixo-relevo grego ou um obelisco egípcio? Lembra-se de Vigny, que naquela época talvez duvidasse de sua transfiguração e ainda se dignava a mesclar-se à multidão humana? Lembra-se de Lamartine, de pé junto à lareira e deixando rolar até seus pés a harmonia de seus belos versos? Lembra-se de Hugo, que o contemplava e escutava como Etéocles devia contemplar e escutar Polinice, o único entre nós com o sorriso da igualdade nos lábios, enquanto a senhora Hugo, brincando com seus belos cabelos, se mantinha meio deitada no canapé, como se cansada da parcela de glória que lhe cabia?

Depois, em meio a tudo isso, sua mãe, tão simples, tão boa, tão doce; sua tia, a senhora de Tercy, tão espiritual, tão amável; Dauzauts, tão fantasioso, tão fanfarrão, tão verborrágico; Barye, tão isolado em meio ao barulho, que seu pensamento parecia sempre enviado pelo seu corpo em busca de uma das sete maravilhas do mundo; Boulanger, hoje tão melancólico, amanhã tão alegre, sempre um pintor tão grande, sempre um poeta tão grande, sempre um amigo tão bom tanto na sua alegria como na sua tristeza; depois, finalmente, essa menininha insinuando-se entre os poetas, os pintores, os músicos, os grandes homens, as pessoas de espírito e os sábios, essa menininha que eu pegava na palma da mão e oferecia à senhora como uma estatueta de Barre ou de Pradier? Ah, meu Deus, o que aconteceu com tudo isso, senhora?

O Senhor assoprou nessa chave de abóboda, e o edifício mágico ruiu, e os que o povoavam desapareceram, e tudo é deserto naquele mesmo lugar onde tudo vivia, desabrochava, florescia.

Fontaney e Alfred Johannot morreram, Taylor renunciou às viagens, de Vigny tornou-se invisível, Lamartine é deputado, Hugo, par de França, e Boulanger, meu filho e eu estamos em Cartago de onde a vejo, senhora, dando aquele enorme suspiro do qual lhe falei há pouco e, apesar do vento que leva como uma nuvem a fumaça movente de nossa embarcação, jamais alcançará essas lembranças caras que o tempo de asas escuras arrasta silenciosamente para a bruma acinzentada do passado.

Ó, primavera, juventude do ano! Ó, juventude, primavera da vida!

Muito bem, eis o mundo desaparecido que um sonho me devolveu, essa noite tão brilhante, tão visível, mas ao mesmo tempo, que pena, tão impalpável quanto esses átomos que dançam no meio de um raio de sol infiltrado em um quarto escuro pela abertura de uma veneziana entreaberta.

E agora, senhora, não está mais espantada com essa carta, não é? O presente naufragaria todo o tempo se não fosse equilibrado pelo peso da esperança e pelo contrapeso das lembranças, e infeliz ou felizmente talvez, sou um daqueles em quem as lembranças prevalecem sobre as esperanças.

Agora falemos de outra coisa: pois é permitido estar triste contanto que não se atinja os outros com sua tristeza. O que está fazendo meu amigo Boniface? Ah, há oito ou dez dias visitei uma cidade que lhe valerá muitas corvéias quando encontrar seu nome no livro desse agiota malvado que chamamos Salústio. Essa cidade é Constantina, a velha Cirta, maravilha construída no alto de um rochedo, decerto por uma raça de animais fantásticos com asas de águia e mãos de homem, como Heródoto e Levaillant, esses dois viajantes, viram.

Depois passamos depressa por Utica e lentamente por Bizerta. Giraud fez nessa última cidade o retrato de um notário turco, e Boulanger de seu funcionário chefe. Estou enviando-lhe, senhora, para que possa compará-los aos notários e funcionários chefes de Paris. Duvido que os últimos levem vantagem.

Eu caí na água caçando flamingos e cisnes, acidente que, no Sena, provavelmente congelado a essas alturas do ano, poderia ter conseqüências desastrosas, mas que no lago de Catão teve o único inconveniente de me fazer tomar um banho vestido, e isso para grande surpresa de Alexandre, Giraud e do governador da cidade que, do alto de um terraço, acompanhavam nosso barco com os olhos e não conseguiam compreender um acontecimento que atribuíam a um ato de minha fantasia e que não passava da perda de meu centro de gravidade.

Saí-me da dificuldade como os alcatrazes dos quais lhe falei há pouco, senhora: como eles desapareci, como eles voltei a emergir! Só que não trazia como eles um peixe no bico.

Cinco minutos depois, já havia esquecido o episódio e estava seco como o senhor Valéry, tamanha foi a complacência do sol em acariciar-me.

Oh, como gostaria de conduzir um raio desse belo sol por toda a parte onde a senhora fosse, nem que fosse apenas para fazer brotar à sua janela um tufo de miosótis.

Adeus, senhora; perdoe-me por essa longa carta; não estou acostumado à coisa e, como a criança que se justificava por ter feito o mundo, prometo-lhe que não escreverei mais; mas também por que o zelador do céu deixou aberta essa porta de marfim pela qual saem os sonhos dourados?

Aceite, cara senhora, a homenagem de meus sentimentos mais respeitosos.

Alexandre Dumas

Aperto com toda a cordialidade a mão de Jules."

Agora, para que essa carta tão íntima? É porque, para contar a meus leitores a história da mulher com o colar de veludo, eu precisava abrir-lhes as portas do Arsenal, isto é, da casa de Charles Nodier.

E agora que essa porta me foi aberta pela mão de sua filha e, conseqüentemente, por termos certeza de sermos bem-vindos, "Quem me amar que me siga."

Na extremidade de Paris, prosseguindo o quais des Célestins, encostada à rue Morland e dominando o rio, ergue-se uma edificação sombria e triste chamada Arsenal.

Uma parte do terreno sobre o qual se estende esse edifício pesado chamava-se antes da escavação das fossas da cidade Champ-au-Plâtre. De uma feita que se preparava para a guerra, Paris comprou o campo e nele mandou construir galpões para acomodar a artilharia. Por volta de 1533, Francisco I percebeu que faltavam canhões e teve a idéia de mandar fundi-los. Tomou portanto emprestado um desses galpões de sua boa cidade, é claro que com a promessa de devolvê-lo assim que a fundição fosse concluída; depois, sob o pretexto de acelerar o trabalho, tomou emprestado um segundo, depois um terceiro, sempre com a mesma promessa; em seguida, devido ao provérbio que diz que o que é bom de se tomar é bom de conservar, conservou sem problemas os três galpões emprestados.

Vinte anos depois, pegou fogo em uma grande quantidade de pólvora encerrada nos galpões. A explosão foi terrível; Paris tremeu como treme Catânia nos dias em que Encelado se mexe. Pedras foram lançadas até o final do faubourg Saint-Marceau; os trovões dessa terrível tempestade chegaram a abalar Melun. As casas da vizinhança por um momento oscilaram como se estivessem bêbadas, depois ruíram sobre si mesmas. Os peixes pereceram no rio, mortos por essa comoção inesperada; finalmente, trinta pessoas, erguidas pelo furacão de chamas, tornaram a cair em frangalhos. Cento e cinqüenta ficaram feridas. De onde vinha o sinistro? Qual a causa dessa infelicidade? Até hoje ninguém sabe; e, devido a essa ignorância, foi atribuída aos protestantes.

Carlos IX mandou reconstruir num lugar mais amplo as edificações destruídas. Carlos IX era um construtor: mandou Jean Goujon esculpir o Louvre, talhar a fonte dos Inocentes, sendo que o pobre talhador ali foi morto, como todos sabem, por uma bala perdida. Ele certamente teria acabado tudo, o grande artista e o grande poeta, se Deus, que tinha certas contas a acertar com ele a respeito de 24 de agosto de 1572, não o tivesse chamado.

Seus sucessores prosseguiram as construções no ponto em que ele as havia deixado e continuaram-nas. Henrique III mandou esculpir em 1584 a porta diante do quais des Célestins: era acompanhada de colunas em forma de canhões e, na prancha de mármore que a encimava, lia-se o dístico de Nicolas Bourbon, que Santeuil pedia para comprar mesmo que lhe custasse a forca:

Aetna hic Henrico vulcania tela minestrat.
Tela giganteos debellatura furores.

O que quer dizer em francês:

"O Etna prepara aqui os traços com os quais Henrique deve fulminar a fúria dos gigantes."

E, de fato, após ter fulminado os gigantes da Liga, Henrique plantou o belo jardim que se vê nos mapas do tempo de Luís XIII, enquanto Sully ali estabelecia seu ministério e mandava pintar e dourar os belos salões que ainda hoje fazem parte da biblioteca do Arsenal.

Em 1823, Charles Nodier foi chamado para dirigir essa biblioteca e abandonou a rue de Choiseul, onde morava, para se estabelecer em sua nova residência.

Nodier era um homem adorável; sem um vício, mas cheio de defeitos, desses defeitos encantadores que constituem a originalidade de um homem de gênio, pródigo, despreocupado, passeador, passeador como Fígaro era preguiçoso! Deliciosamente.

Nodier sabia quase tudo o que era dado ao homem saber; além disso, tinha o privilégio do homem de gênio; quando não sabia, inventava, e o que inventava era engenhoso de maneira bem diferente, colorido de maneira bem diversa, provável de maneira bem diferente da realidade.

Além disso, cheio de sistemas, paradoxal, com entusiasmo, mas nada propagandista, era para si mesmo que Nodier era paradoxal, era só para si que Nodier se desfazia dos sistemas; seus sistemas adotados, seus paradoxos reconhecidos, ele mudá-los-ia, elaboraria outros imediatamente.

Nodier era o homem de Terêncio, a quem nada de humano é estranho. Amava pela felicidade de amar: amava como o sol brilha, como a água murmura, como a flor perfuma. Tudo o que é bom, tudo o que é belo, tudo o que era grande lhe era simpático; mesmo no ruim, ele buscava o que havia de bom, como na planta venenosa, o químico, do próprio centro do veneno, tira um remédio saudável.

Quantas vezes Nodier amara? Ele próprio não saberia dizer; além disso, que grande poeta era! Sempre confundia o sonho com a realidade. Nodier acariciava com tanto amor as fantasias de sua imaginação que acabava por acreditar em sua existência. Para ele, Thérèse Aubert, a Fada das migalhas, Inès de Las Sierras existiram. Eram suas filhas, como Marie; eram as irmãs de Marie; só que a senhora Nodier pouco colaborara para sua criação; como Júpiter, Nodier tirara todas aquelas Minervas de seu cérebro.

Mas não eram apenas as criaturas humanas, não eram apenas as filhas de Eva e as filhas de Adão que Nodier animava com seu sopro criador. Nodier inventara um animal, batizara-o. Além disso, com sua própria autoridade, sem se preocupar com o que Deus diria daquilo, dotara-o de vida eterna.

Esse animal era o taratantaleo.

Vocês não conhecem o taratantaleo, não é? Nem eu; mas Nodier o conhecia; Nodier o sabia de cor. Ele contava a você os costumes, os hábitos, os caprichos do taratantaleo. Ele contaria seus amores se, no momento em que percebeu que o taratantaleo carregava nele o princípio da vida eterna, não o tivesse condenado ao celibato, sendo inútil a reprodução onde existe a ressurreição.

Como Nodier descobrira o taratantaleo?

Vou contar-lhes como.

Aos dezoito anos, Nodier estudava entomologia. A vida de Nodier dividiu-se em seis fases diferentes:

Em primeiro lugar, fez história natural: *A bibliografia entomológica*;

Depois linguística: o *Dicionário racional das onomatopéias*;

Depois política: *A Napoleona*;

Depois filosofia religiosa: *As meditações do claustro*;

Depois poesias: *Os ensaios de um jovem bardo*;

Depois romance: *Jean Sbogar, Samarra, Trilby, O pintor de Salzburgo, Senhorita de Marsan, Adèle, O vampiro, O sonho de ouro, As lembranças de juventude, A história do rei da Boêmia e de seus sete castelos, As fantasias do doutor Néophobus* e outras mil coisas encantadoras que vocês conhecem, que eu conheço e cujo nome não se encontra sob a minha pena.

Nodier estava portanto na primeira fase de seus trabalhos; Nodier estava estudando entomologia, Nodier residia no sexto andar – um andar acima de onde Béranger aloja o poeta. Fazia experiências no microscópio com os infinitamente pequenos e, bem antes de Raspail, descobrira todo um mundo de animaizinhos invisíveis. Um dia, depois de ter analisado a água, o vinho, o vinagre, o queijo, o pão, enfim todos os objetos sobre os quais se fazem habitualmente experiências, pegou um pouco de areia molhada na calha e colocou-a sob o seu microscópio, aplicando em seguida seu olho na lente.

Então viu mover-se um animal estranho, com a forma de um velocípede, armado de duas rodas que ele agitava com rapidez. Tinha de atravessar um rio? Suas rodas serviam-lhe de barco a vapor. Tinha de transpor um terreno seco? Suas rodas serviam-lhe como as de um cabriolé. Nodier observou-o, detalhou-o, desenhou-o, analisou-o por tanto tempo que de repente se lembrou que estava esquecendo um encontro, e foi embora, deixando ali, no seu microscópio, seu grão de areia e o taratantaleo, do qual aquele grão era o mundo.

Quando Nodier voltou, era tarde; estava cansado, deitou-se e dormiu como se dorme aos dezoito anos. Só no dia seguinte ao abrir os olhos pensou em seu grão de areia, no microscópio e no tarantaleo.

Infelizmente durante a noite a areia secara, e o pobre taratantaleo, que decerto precisava de umidade para viver, estava morto. Seu cadaverzinho estava deitado de lado, suas rodas imóveis. O barco a vapor não andava mais, o velocípede parara.

Porém, apesar de bem morto, nem por isso o animal deixava de ser uma variedade curiosa dos efêmeros, e seu cadáver merecia ser conservado tanto quanto o de um mamute ou de um mastodonte; só que era preciso tomar, como o leitor deve compreender, precauções ainda maiores para manipular um animal cem vezes menor que um limão do que para mudar de lugar um animal dez vezes maior do que um elefante.

Foi então com o pelinho de uma pena que Nodier transportou seu grão de areia do espelho de seu microscópio para uma caixinha de papelão, destinada a tornar-se o sepulcro do taratantaleo.

Ele prometia-se mostrar aquele cadáver para o primeiro cientista que ousasse subir seis andares.

Pensa-se em tantas coisas aos dezoito anos que é tranqüilamente permitido esquecer o cadáver de um efêmero. Nodier esqueceu durante, três, dez meses, talvez um ano, o cadáver do taratantaleo.

Então um belo dia, a caixa caiu-lhe nas mãos. Nodier quis ver que mudança um ano produzira em seu animal. O tempo estava coberto, caía uma tempestade. Para enxergar melhor, aproximou o microscópio da janela e esvaziou o conteúdo da caixinha no espelho.

O cadáver continuava imóvel deitado na areia; só que o tempo, que tem tanto domínio sobre os colossos, parecia ter esquecido o infinitamente pequeno.

Nodier observava portanto seu efêmero quando, de repente, uma gota de chuva, afugentada pelo vento, caiu no espelho do microscópio e umedeceu o grão de areia.

Então, ao contato com aquele frescor revitalizante, pareceu a Nodier que seu taratantaleo estava se reanimando, mexendo uma antena e depois a outra; que fazia uma de suas rodas girar, que fazia suas duas rodas girarem, que tornava a seu centro de gravidade, que seus movimentos estava se regularizando, que, finalmente, estava vivo.

O milagre da ressurreição acabava de ocorrer, não ao final de três dias, mas de um ano.

Nodier fez o mesmo teste dez vezes, por dez vezes a areia secou e o taratantaleo morreu, por dez vezes a areia foi umedecida e por dez vezes o taratantaleo ressucitou.

Nodier não descobrira um efêmero, mas um imortal. De acordo com todas as probabilidades, seu taratantaleo vira o Dilúvio e assistiria ao Juízo Final.

Infelizmente, num dia em que Nodier, talvez pela vigésima vez, se preparava para repetir sua experiência, um golpe de vento levou a areia seca e, com a areia, o cadáver do fenomenal taratantaleo.

Nodier tornou a pegar muitos grãos de areia molhada em sua calha e em outros lugares, mas em vão, nunca mais encontrou o equivalente ao que perdera: o taratantaleo era o único de sua espécie e, perdido para todos os homens, só permaneceu vivo nas lembranças de Nodier.

Mas ali vivia de maneira a jamais se apagar.

Falamos dos defeitos de Nodier: seu defeito predominante, pelo menos para a senhora Nodier, era sua mania de livros; esse defeito, que era a felicidade para Nodier, era o desespero de sua mulher.

Porque com todo o dinheiro que Nodier ganhava ele comprava livros. Quantas vezes Nodier, que saía para buscar duzentos ou trezentos francos absolutamente necessários para a casa, voltava com um volume raro, um exemplar único.

O dinheiro permanecera com Techener ou Guillemot.

A senhora Nodier bem que gostaria de ralhar; mas Nodier tirava seu volume do bolso, abria-o, fechava-o, acariciava-o, mostrava à sua mulher um erro de impressão que constituía a autenticidade do livro, e isso dizendo:

– Pense bem, minha querida amiga, trezentos francos eu torno a encontrar, enquanto que um livro assim, hum, um livro assim, hum! Um livro assim é impossível de encontrar: pergunte a Pixérécourt.

Pixérécourt era o grande ídolo de Nodier, que sempre adorou o melodrama. Nodier chamava Pixéré-court o Corneille dos bulevares.

Quase todas as manhãs Pixérécourt vinha visitar Nodier.

A manhã na casa de Nodier era dedicada às visitas dos bibliófilos. Era ali que se reuniam o marquês de Ganay, o marquês de Château-Giron, o marquês de Chalabre, o conde de Labédoyère, Bérard, o homem dos Elzévirs que em seus momentos livres refez a Carta de 1830; o bibliófilo Jacob, o cientista Weiss de Besançon, o estudioso universal Peignot de Dijon; enfim, os cientistas estrangeiros que, assim que chegavam a Paris, eram apresentados ou se apresentavam sozinhos àquele cenáculo, famoso em toda a Europa.

Ali consultava-se Nodier, o oráculo da reunião; ali mostravam-lhe livros; ali pediam-lhe notas: era sua distração favorita. Quanto aos cientistas do Instituto, eles não freqüentavam aquelas reuniões; consideravam Nodier com inveja. Nodier associava o espírito e a poesia à erudição e era um erro a Academia de ciências não perdoar mais do que a Academia francesa.

Ademais, Nodier muitas vezes zombava, muitas vezes Nodier fazia críticas cáusticas. Um dia escrevera *A história do rei da Boêmia e de seus sete castelos*; dessa vez levara a melhor. Acreditou-se que Nodier tinha se indisposto para sempre com o Instituto. Qual o quê: a Academia de Tombuctu fez com que Nodier entrasse para a Academia francesa.

As irmãs sempre devem algo uma à outra.

Após duas ou três horas de um trabalho sempre fácil;

após ter coberto dez ou doze páginas de papel de seis polegadas de comprimento por quatro de largura, com uma letra mais ou menos legível, regular, sem qualquer rasura, Nodier saía.

Assim que saía, Nodier rondava em busca de aventuras, quase sempre contudo acompanhando a linha dos cais, mas atravessando e tornando a atravessar o rio, segundo a situação topográfica das bancas de livros; depois das bancas de livros, entrava nas lojas dos livreiros e, das lojas dos livreiros ia para as lojas dos encadernadores.

É porque Nodier era entendido não apenas em livros, mas também em capas. As obras-primas de Gaseon sob Luís XIII, de Desseuil sob Luís XIV, de Pasdeloup sob Luís XV e de Derome sob Luís XV e Luís XVI eram-lhe tão familiares que, de olhos fechados, a um simples toque, ele as reconhecia. Era Nodier que ressuscitara a encadernação que, sob a Revolução e o Império, deixara de ser uma arte; foi ele quem estimulou, dirigiu, os restauradores dessa arte, o Thouvenin, os Badrel, os Niedrée, os Bozonnet e os Legrand. Moribundo de uma enfermidade no peito, Thouvenin levantava-se de seu leito de agonia para dar uma última olhada nas encadernações que fazia para Nodier.

O passeio de Nodier terminava quase sempre nas lojas de Crozet ou de Techener, esses dois cunhados reunidos pela rivalidade e entre os quais seu gênio plácido vinha se interpor. Ali reuniam-se os bibliófilos; ali faziam-se trocas; além disso, assim que Nodier aparecia, erguia-se um grito; porém, assim que abria a boca, silêncio absoluto. Então Nodier narrava, Nodier fazia paradoxos de *omni rescibili et quisbusdam aliis.*

À noite, após a refeição com a família, Nodier trabalhava normalmente na sala de jantar entre três velas colocadas em triângulo, nunca mais, nunca menos; dissemos em que papel e com que letra, sempre com penas de ganso. Nodier tinha horror das penas de ferro, como em geral de todas as novas invenções; o gás o enfurecia, o vapor o exasperava; ele via o fim do mundo infalível e próximo na destruição das florestas e no esgotamento das minas de carvão. Era nesses furores contra o progresso da civilização que Nodier resplandecia de verve e fulminava entusiasmo.

Por volta das nove e meia da noite, Nodier saía: então não acompanhava mais a linha dos cais, mas a dos bulevares; entrava no Porte-Saint-Martin, no Ambigu ou nos Funambules, de preferência nos Funambules. Foi Nodier quem divinizou Debureau; para Nodier, havia apenas três atores no mundo: Debureau, Potier e Talma; Potier e Talma tinham morrido, mas Debureau permanecia e consolava Nodier da perda dos dois outros.

Todos os domingos, Nodier almoçava no Pixérécourt. Ali, encontrava seus visitantes: o bibliófilo Jacob, rei enquanto Nodier não chegava, vice-rei quando Nodier aparecia, o marquês de Ganay, o marquês de Chalabre.

O marquês de Ganay, espírito cambiante, amador caprichoso, apaixonado por um livro como um supliciado do tempo da Regência se apaixonava por uma mulher até conquistá-la; depois, quando o obtinha, fiel por um mês, não fiel, entusiasta, carregava-o consigo e parava os amigos para mostrar o que tinha em mãos; colocava-o sob o travesseiro à noite e despertava de madrugada, tornando a acender sua vela, para contemplá-lo, mas nunca o lia; sempre com inveja dos livros de Pixérécourt, que Pixérécourt recusava vender por maior que fosse o preço oferecido; vingava-se de sua recusa comprando, na venda da senhora de Castellane, um autógrafo que Pixérécourt ambicionava há dez anos.

– Que importância tem isso! – dizia Pixérécourt, furioso. – Vou consegui-lo.

– O quê? – perguntava o marquês de Ganay.

– Seu autógrafo.

– Quando?

– Quando o senhor morrer, pelos diabos!

E Pixérécourt teria cumprido sua promessa se o marquês de Ganay não tivesse achado ser o caso sobreviver a Pixérécourt.

Quanto ao marquês de Chalabre, só ambicionava uma coisa: uma Bíblia que ninguém tivesse, mas também a ambicionava ardentemente. Atormentou tanto Nodier para que Nodier lhe indicasse um exemplar único, que Nodier acabou superando o que o marquês de Chalabre desejava: indicou-lhe um exemplar que não existia.

De imediato o marquês de Chalabre começou a procurar esse exemplar.

Jamais Cristóvão Colombo colocou tanta obstinação em descobrir a América. Jamais Vasco da Gama colocou mais persistência em encontrar a Índia do que o marquês de Chalabre em perseguir sua Bíblia. A América porém existia entre 70° de latitude norte e entre 53° e 54° de latitude sul. A Índia situava-se de fato aquém e além do Ganges, enquanto a Bíblia do marquês de Chalabre não se localizava em qualquer latitude, nem se situava aquém ou além do Sena. O resultado foi que Vasco da Gama encontrou a Índia, Cristóvão Colombo descobriu a América, mas, por mais que o marquês procurasse de norte a sul, do oriente ao ocidente, não encontrou sua Bíblia.

Quanto mais impossível de encontrar a Bíblia, mais o marquês de Chalabre a procurava com ardor.

Ofereceu quinhentos francos; mil francos; dois mil; quatro mil, dez mil. Nenhum bibliógrafo tinha qualquer referência a respeito dessa pobre Bíblia. Escreveram para a Alemanha e para a Inglaterra. Nada. Se a anotação fosse do marquês de Chalabre, ninguém teria se dado a tanto trabalho e responderia: *Ela não existe*. Mas uma anotação de Nodier era outra coisa. Se Nodier dissera: "A Bíblia existe", incontestavelmente a Bíblia existia. O papa podia enganar-se; Nodier era infalível.

As buscas duraram três anos. Todos os domingos, enquanto almoçava com Nodier no estabelecimento de Pixérécourt, o marquês de Chalabre dizia-lhe:

– E então, essa Bíblia, meu caro Charles...

– Então?

– Impossível de encontrar!

– *Quoere et invenies* – respondia Nodier.

E, com mais ardor ainda, o bibliomaníaco tornava a procurar, nas não encontrava.

Finalmente trouxeram uma Bíblia ao marquês de Chalabre.

Não era a Bíblia indicada por Nodier, mas só havia a diferença de um ano na data; não fora imprimida em Kehl, mas em Estrasburgo, só uma légua de distância; não era única, é verdade, mas o segundo exemplar, o único que existia, estava no Líbano, no fundo de um mosteiro druso. O marquês de Chalabre levou a Bíblia a Nodier e pediu sua opinião.

– Nossa Senhora! – respondeu Nodier, que estava vendo o marquês prestes a ficar louco se não conseguisse a Bíblia. – Fique com essa, caro amigo, já que é impossível encontrar a outra.

O marquês de Chalabre comprou a Bíblia por uma soma de dois mil francos, mandou encaderná-la de uma maneira esplêndida e colocou-a em um cofre particular.

Quando morreu, o marquês de Chalabre deixou sua biblioteca à senhorita Mars, que não era nem um pouco bibliomaníaca, e pediu para Merlin classificar os livros do defunto e promover a sua venda. Merlin, o homem mais honesto da terra, entrou um dia na casa da senhorita Mars com trinta ou quarenta mil francos em notas na mão.

Ele encontrara-os em uma espécie de carteira que havia na magnífica encadernação dessa Bíblia quase única.

– Por que – perguntei a Nodier – você brincou desse

jeito com o pobre marquês de Chalabre, você que é tão pouco mistificador?

– Porque ele estava se arruinando, amigo, e porque, durante os três anos em que procurou sua Bíblia, só pensou nisso: ao final desses três anos gastou dois mil francos, quando poderia ter gasto cinqüenta mil.

Agora que mostramos nosso bem-amado Charles durante a semana e no domingo de manhã, vamos relatar o que acontecia domingo das seis da tarde até meia-noite.

Como conheci Nodier?

Como se conhecia Nodier. Ele havia me feito um favor. Era em 1827, eu acabara de concluir *Christine*; não conhecia ninguém nos ministérios, ninguém nos teatros; em vez de me ajudar a chegar à Comédie-Française, minha administração era um impedimento. Eu escrevera havia dois ou três dias esse último verso que recebeu muitos assobios e aplausos:

Muito bem... estou com pena, meu pai: que acabem com ele!

Sob esses versos, eu escrevera a palavra fim: nada me restava a fazer além de ler minha peça aos senhores atores do rei e ser aceito ou recusado por eles.

Infelizmente, naquela época, o governo da Comédie-Française era, como o de Veneza, republicano, mas aristocrático, e não se chegava quando se queria perto dos sereníssimos senhores do Comité.

Havia na verdade um examinador encarregado de ler as obras dos jovens que ainda não haviam feito nada e que conseqüentemente só tinham direito a uma leitura após o exame: existiam porém nas tradições dramáticas histórias tão lúgubres de manuscritos aguardando sua vez de serem lidos durante um ou dois ou até três anos que eu, familiarizado com Dante e Milton, nem mesmo ousava afrontar esses limbos com medo de que minha pobre *Christine* fosse simplesmente aumentar o número de:

Questi sciaurati che mai non fur vivi.

Eu ouvira falar de Nodier como protetor nato de qualquer poeta em botão. Pedi-lhe um bilhetinho de apresentação para o barão Taylor. Ele me enviou um. Oito dias depois eu conseguia uma leitura no Théâtre-Français e havia sido praticamente aceito.

Digo praticamente porque havia em *Christine*, com relação à época em que vivíamos, isto, é ao ano da graça de 1827, tais enormidades literárias que os senhores atores comuns do rei não ousaram receber-me de imediato e subordinaram sua opinião à do senhor Picard, autor de *La petite ville*.

O senhor Picard era um dos oráculos da época.

Firmin conduziu-me à casa de Picard. Este recebeu-me em uma biblioteca forrada de todas as edições de suas obras e enfeitada com seu busto. Pegou meu manuscrito, marcou um encontro para dali a oito dias e despediu-se de nós.

Ao final de oito dias, pontualmente, apresentei-me à porta do senhor Picard, que me esperava, é claro: recebeu-me com o sorriso de Rigobert em *Maison à vendre*.

– Senhor – disse-me, estendendo meu manuscrito muito bem enrolado – o senhor tem algum meio de subsistência?

O início da conversa não era muito estimulante.

– Sim, senhor – respondi. – Tenho um pequeno cargo na casa do senhor duque de Orléans.

– Muito bem, meu filho – disse, colocando com afeto o rolo entre minhas duas mãos e ao mesmo tempo tomando-as –, vá a seu escritório.

E, encantado com o que proferira, esfregou as mãos

indicando-me com um gesto que a audiência estava terminada.

Não deixava de dever uma agradecimento a Nodier. Fui até o Arsenal. Nodier recebeu-me como recebia, com um sorriso... Mas há sorrisos e sorrisos, como diz Molière.

Talvez um dia esqueça o sorriso de Picard, mas jamais me esquecerei do de Nodier.

Eu quis provar a Nodier que não era tão indigno de sua proteção como ele poderia acreditar após a resposta de Picard. Deixei-lhe meu manuscrito. No dia seguinte, recebi uma carta encantadora que me devolveu a coragem e que me convidava às noitadas do Arsenal.

As noitadas do Arsenal eram algo encantador, algo que nenhuma pena jamais conseguiria transmitir. Aconteciam aos domingos e, na realidade, começavam às seis horas.

Às seis horas, a mesa estava posta. Havia os convidados para jantar da fundação: Cailleux, Taylor, Francis Wey, que Nodier amava como a um filho; além disso, por acaso, um ou dois convidados; além disso, quem quisesse.

Uma vez aceito naquela intimidade encantadora, ia-se jantar na casa de Nodier quando se tinha vontade. Sempre havia dois ou três pratos a mais esperando os convivas que por acaso aparecessem. Se esses três pratos fossem insuficientes, acrescentava-se um quarto, um quinto, um sexto. Se fosse preciso aumentar a mesa, ela era aumentada. Mas infeliz daquele que fosse o décimo-terceiro a chegar! Este jantava impiedosamente em uma mesinha, a não ser que um décimo-quarto conviva viesse arrancá-lo de sua penitência.

Nodier tinha suas manias: preferia pão preto a pão branco, o estanho à prata, os círios às velas.

Ninguém além da senhora Nodier, que lhe servia à vontade, dava atenção a isso.

Ao final de um ou dois anos, eu tornara-me um desses íntimos dos quais falava há pouco. Podia chegar sem avisar na hora do jantar; recebiam-me com gritos que não me deixavam dúvidas sobre o fato de que eu era bem-vindo e me colocavam à mesa, ou melhor, eu me colocava à mesa entre a senhora Nodier e Marie.

Ao final de um certo tempo, o que era apenas um ponto de fato tornou-se um ponto de direito. Se eu chegasse tarde demais, e todos já estivessem à mesa, e meu lugar já estivesse tomado, faziam um sinal de desculpas ao conviva usurpador: meu lugar era devolvido e, Deus meu, aquele que eu havia deslocado ia sentar-se onde conseguisse.

Nodier achava então que eu lhe dava sorte pois o dispensava de conversar. Porém, se eu lhe dava sorte, dava azar para os outros. Nodier era o conversador mais encantador do mundo. Por mais que fizessem com a minha conversa tudo o que se faz com um fogo para que incendeie – a despertassem, atiçassem, nela jogassem aquela limalha que faz as faíscas do espírito jorrarem como as da forja – dela brotava verve, vivacidade, juventude; mas não havia aquela bonomia, aquele encanto inexprimível, aquela graça infinita onde, como em uma rede estendida, o passarinheiro pega tudo, pássaros pequenos e grandes. Não era a conversa de Nodier.

Recorriam a mim na falta de algo melhor e contentavam-se com isso, é só.

Porém às vezes eu me amuava, não queria falar e, à minha recusa de falar, era necessário, já que estava em sua casa, que Nodier falasse; então todos escutavam, criancinhas e adultos. Era ao mesmo tempo Walter Scott e Perrault, era o cientista lutando com o poeta, era a memória em combate com a imaginação. Nesses momentos, não era só divertido ouvir Nodier; era encantador contemplá-lo. Seu longo corpo esguio, seus longos braços magros, suas longas mãos pálidas, seu longo rosto cheio de uma bondade melancólica, tudo aquilo harmonizava-se com suas palavras um pouco arrastadas, moduladas sobre certos tons que ressurgiam de vez em quando com um sotaque do Franche-Comté que Nodier jamais perdera por completo. Oh! então a narrativa era coisa inesgotável, sempre nova, que nunca se repetia. O tempo, o espaço, a história, a natureza eram para Nodier aquela bolsa de Fortunatus de onde Pierre Schlemihl tirava suas mãos sempre cheias. Ele conhecera todo o mundo. Danton, Charlotte Corday, Gustavo III, Cagliostro, Pio VI, Catarina II, o grande Frederico, quem mais? Como o conde de Saint-Germain e o taratantaleo, assistira à criação do mundo e atravessara os séculos transformando-se. Sobre essa transformação tinha até mesmo uma teoria das mais engenhosas. Segundo Nodier, os sonhos não passavam de uma lembrança dos dias transcorridos em um outro planeta, de uma reminiscência do que ocorrera outrora. Segundo Nodier, os sonhos mais fantásticos correspondiam a fatos ocorridos em outros tempos em Saturno, em Vênus ou em Mercúrio: as imagens mais estranhas não passavam da sombra das formas que haviam imprimido suas lembranças em nossa alma imortal. Ao visitar pela primeira vez o museu fóssil do Jardin des Plantes, espantara-se, reencontrando animais que vira no dilúvio de Deucalião e de Pirra, e às vezes escapava-lhe a confissão de que, vendo a tendência dos templários à possessão universal, dera a Jacques de Molay o conselho de dominar sua ambição. Não era culpa sua se Jesus Cristo tinha sido crucificado; fora o único de seus ouvintes a avisá-lo das más intenções de Pilatos. Nodier tivera a oportunidade de encontrar principalmente o Judeu errante: da primeira vez em Roma na época de Gregório VII, da segunda em Paris, na véspera da noite de São Bartolomeu, e da última em Vienne no Dauphiné: sobre isso tinha uma documentação das mais preciosas. E a esse respeito assinalava um erro em que haviam incorrido os cientistas e os poetas, em particular Edgar Quinet: não era Aasvero, que é um nome meio grego meio latino, que se chamava o homem de cinco soldos, era Isaac Laquedem: por isso Nodier podia responder, a informação vinha a própria boca do interessado. Em seguida, da política, da filosofia e da tradição, passava para a história natural. Oh, como neste cenário Nodier superava Heródoto, Plínio, Marco Polo, Buffon e Lacépède! Ele conhecera aranhas perto das quais a aranha de Pélisson não passava de um insetinho; freqüentara sapos perto dos quais Matusalém não passava de uma criança; finalmente, tivera contato com crocodilos perto dos quais a tarasca não passava de um lagarto.

Por isso aconteciam com Nodier aqueles acasos que só acontecem com homens de gênio. Um dia em que estava procurando lepidópteros, foi durante sua temporada na Estíria, região de rochas graníticas e árvores seculares, ele subiu em uma árvore para alcançar uma cavidade que estava vendo, enfiou a mão nessa cavidade como tinha o hábito de fazer, e isso com bastante imprudência, pois um dia retirou de uma cavidade assim seu braço enfeitado com uma serpente que nele havia se enrolado; um dia portanto, em que, tendo encontrado uma cavidade, enfiou sua mão nela, sentiu algo mole e grudento que cedia à pressão de seus dedos. Retirou sua mão depressa do buraco e olhou: dois olhos brilhavam em um fogo pálido no fundo da cavidade. Nodier achou que era o diabo; por isso, ao ver aqueles dois olhos que se pareciam bastante com os olhos de brasa de Caronte, como diz Dante, Nodier teve o ímpeto de fugir, mas refletindo um pouco, voltou atrás, pegou uma machadinha e, avaliando a profundidade do buraco, começou a fazer uma abertura no lugar onde presumia devesse estar aquele objeto desconhecido. Na quinta ou sexta machadada, escorreu sangue da árvore, nem mais nem menos que sob a espada de Tancredo o sangue escorreu da floresta encantada de Tasso. No entanto, não apareceu uma bela guerreira e sim um enorme sapo encastrado na árvore para onde fora levado pelo vento quando era do tamanho de uma abelha. Há quanto tempo estava ali? Há duzentos, trezentos, talvez quinhentos anos. Tinha cinco polegadas de comprimento por três de largura.

De outra feita aconteceu na Normandia, na época em que fazia com Taylor a viagem pitoresca pela França; ele entrou em uma igreja; na abóboda desta estavam pendurados uma gigantesca aranha e um sapo enorme. Ele dirigiu-se a um camponês para pedir informações sobre aquele casal singular.

E eis o que o velho camponês lhe contou depois de levá-lo para perto de uma das lajes da igreja na qual estava esculpido um cavaleiro em sua armadura deitado.

Aquele cavaleiro era um antigo barão que deixara na região lembranças tão ruins que os mais ousados desviavam-se de seu caminho para não ter de pisar em seu túmulo e isso não por respeito, mas por terror. Sobre aquele túmulo, segundo uma promessa feita pelo cavaleiro em seu leito de morte, uma lâmpada deveria arder noite e dia, o morto tendo feito uma doação piedosa que subvencionava aquela despesa além de muitas outras.

Um belo dia, ou melhor, uma bela noite durante a qual, por acaso, o cura não estava dormindo, ele viu da janela de seu quarto que dava para a da igreja a lâmpada empalidecer e apagar-se. Atribuiu o fato a um acidente e não se preocupou muito naquele momento.

Porém, na noite seguinte, como despertasse por volta das duas horas da manhã, ocorreu-lhe certificar-se de que a lâmpada estava ardendo. Desceu da cama, aproximou-se da janela e constatou *de visu* que a igreja estava imersa na escuridão mais profunda.

Esse fato, que se repetiu duas vezes em quarenta e oito horas, adquiria certa gravidade. Na manhã seguinte, assim que o dia raiou, o cura chamou o sacristão e acusou-o simplesmente de ter posto óleo na salada em vez de colocá-lo na lâmpada. O sacristão jurou por todos os deuses que não fizera nada daquilo; que todas as noites, durante aqueles quinze anos em que tinha a honra de ser sacristão, enchia conscienciosamente a lâmpada e que aquilo devia ser uma brincadeira daquele cavaleiro malvado que, após ter atormentado os vivos a vida toda, tornava a atormentá-los trezentos anos após a sua morte.

O cura declarou que, embora confiasse plenamente nas palavras do sacristão, queria de qualquer modo assistir à noite ao reabastecimento da lâmpada; assim, ao pôr-do-sol, na presença do cura, o óleo foi introduzido no recipiente e a lâmpada acesa; acesa a lâmpada, o cura fechou ele próprio a porta da igreja, pôs a chave no bolso e retirou-se para sua casa.

Em seguida, pegou um breviário, acomodou-se perto da janela em uma grande poltrona e alternando o olhar entre o livro e a igreja, esperou.

Por volta da meia-noite, viu a luz que iluminava os vitrais diminuir, empalidecer e apagar-se.

Desta feita, havia uma causa estranha, misteriosa, inexplicável, da qual o pobre sacristão não poderia ter participado.

Por um momento, o cura acreditou que ladrões tivessem conseguido penetrar na igreja e roubado o óleo. Porém, refletindo na malvadeza cometida pelos ladrões, deviam ser bandidos bem honestos para se limitar a roubar o óleo e poupar os vasos sagrados.

Não eram portanto ladrões; havia alguma outra causa, uma causa diferente de todas as que se podia imaginar, talvez uma causa sobrenatural. O cura resolveu descobrir essa causa, fosse qual fosse.

No dia seguinte à noite, ele próprio verteu o óleo para se convencer de que não estava sendo iludido por alguma mágica; depois, em vez de sair como na véspera, escondeu-se no confessionário.

As horas passaram-se, a lâmpada iluminava com um clarão calmo e igual: soou meia-noite.

O cura acreditou ouvir um ruído leve, semelhante ao de uma pedra que se desloca, depois viu a sombra de um animal com patas gigantescas, cuja sombra subiu em um pilar, percorreu a cornija, apareceu por um instante na abóboda, desceu ao longo da corda e parou na lâmpada, que começou a empalidecer, vacilou e apagou-se.

O cura encontrou-se na escuridão mais completa. Compreendeu que era uma experiência a repetir aproximando-se do local onde ocorria a cena.

Nada mais fácil: em vez de enfiar-se no confessionário que era do lado da igreja oposto à lâmpada, só tinha de se esconder no confessionário a alguns passos dela.

No dia seguinte, portanto, fez tudo como na véspera; só mudou de confessionário e muniu-se de uma lanterna furta-fogo.

Até a meia-noite, mesma calma, mesmo silêncio, mesma honestidade da lâmpada para cumprir suas funções. Porém também, ao último toque de meia-noite, mesmo estalo que na véspera. Só que, como o estalo acontecia a quatro passos do confessionário, os olhos do cura puderam de imediato fixar-se no local de onde vinha o barulho. Era o túmulo do cavaleiro que estava estalando.

Depois, a laje esculpida que recobria o sepulcro ergueu-se lentamente e, pelo túmulo entreaberto, o cura viu sair uma aranha do tamanho de um cão d'água, com um pêlo de seis polegadas de comprimento, com as patas de uma alna de comprimento, a qual se pôs imediatamente, sem hesitação, sem procurar um caminho que se via lhe era familiar, a escalar o pilar, a correr pela cornija, a descer ao longo da corda e, chegando à sua meta, a beber o óleo da lâmpada que se apagou.

Mas então o cura recorreu à sua lanterna furta-fogo, cujos raios dirigiu para o túmulo do cavaleiro.

Naquele instante percebeu que o objeto que o mantinha entreaberto era um sapo do tamanho de uma tartaruga marinha que, inflando-se, erguia a pedra e dava passagem para a aranha que ia imediatamente sugar o óleo que em seguida compartilhava com seu companheiro.

Ambos viviam assim havia séculos naquele túmulo, onde ainda habitariam hoje, se um acidente não tivesse revelado ao cura a presença de um ladrão qualquer em sua igreja.

No dia seguinte, o cura pediu ajuda, ergueram a pedra do túmulo e mataram o inseto e o réptil cujos cadáveres estavam pendurados no teto e atestavam o estranho acontecimento.

Aliás, o camponês que contava o caso a Nodier era um dos que haviam sido chamados pelo cura para combater aqueles dois comensais do túmulo do cavaleiro, e como ele cismara principalmente com o sapo, uma gota de sangue do animal imundo que jorrara em sua pálpebra quase o deixara cego como Tobias.

Ficara caolho.

Para Nodier, as histórias de sapos não se limitavam a esta; havia algo de misterioso na longevidade desse animal que agradava à sua imaginação. Por isso conhecia todas as histórias de sapos centenários ou milenares; todos os sapos descobertos nas pedras ou nos troncos de árvores, desde o sapo encontrado em 1756 pelo escultor Le Prince em Eretteville, no meio de uma pedra dura na qual estava encastrado, até o sapo encerrado por Hérifsant em 1771 em uma caixa de gesso e que ele tornou a encontrar perfeitamente vivo em 1774, eram de sua competência. Quando se perguntava a Nodier do que viviam os pobres prisioneiros: Eles tinham sua pele, respondia. Ele estudara um sapo elegante que trocara seis vezes de pele em um inverno e que seis vezes engolira a velha. Quanto aos que estavam em pedras de formação primitiva desde a criação do mundo, como o sapo que se encontrou na pedreira de Boursick, na Gothie, a inação total na qual foram obrigados a permanecer, a suspensão da vida em uma temperatura que não permitia qualquer dissolução e que não tornava necessária a reparação de qualquer perda, a umidade do lugar, que mantinha a do animal e que impedia sua destruição pelo ressecamento, tudo aquilo parecia a Nodier motivo suficiente para uma convicção na qual tinha tanta fé quanto na ciência.

Além disso, como já dissemos, Nodier tinha uma certa humildade natural, uma certa inclinação a se fazer pequeno que o levava aos menores e aos mais humildes. Nodier bibliófilo achava entre os livros obras-primas ignoradas que ele tirava do túmulo das bibliotecas; Nodier filantropo encontrava entre os vivos poetas desconhecidos que revelava e que conduzia à celebridade; qualquer injustiça, qualquer opressão o revoltava e, segundo ele, oprimiam o sapo, era-se injusto com ele, ignorava-se ou não se queria conhecer suas virtudes. O sapo era um bom amigo; Nodier já o provara pela associação do sapo e da aranha e a rigor provava-o pela segunda vez contando uma outra história de sapo e lagarto não menos fantástica do que a primeira; o sapo era portanto não apenas um bom amigo, como também um bom pai e um bom esposo. Ele próprio parindo sua mulher, o sapo dera aos maridos as primeiras lições de amor conjugal; envolvendo os ovos de sua família em torno de suas patas de trás ou carregando-os nas costas, o sapo dera aos chefes de família a primeira lição de paternidade; quanto a essa baba que o sapo espalha ou até lança quando o atormentam, Nodier garantia que era a substância mais inocente do mundo e preferia esta à saliva de muitos críticos conhecidos seus.

Não que esses críticos não fossem recebidos em sua casa como as outras pessoas, eram até bem recebidos, mas aos poucos afastavam-se por conta própria, não se sentiam à vontade no meio daquela benevolência que era a atmosfera natural do Arsenal, através da qual a zombaria só passava como o vaga-lume passa em meio às belas noites de Nice e Florença, ou seja, para lançar uma luz e logo se apagar.

Chegava-se desse modo ao final de um jantar encantador, no qual todos os acidentes, exceto derrubar o sal, exceto o pão colocado ao contrário, eram considerados pelo lado filosófico; em seguida servia-se o café à mesa. No fundo Nodier era um sibarita, apreciava com perfeição esse sentimento de sensualidade perfeita que não coloca qualquer movimento, qualquer deslocamento, qualquer incômodo entre a sobremesa e o coroamento da sobremesa. Durante esse momento de delícias asiáticas, a senhora Nodier levantava-se e ia iluminar o salão. Muitas vezes eu, que não tomava café, eu a acompanhava. Minha altura era-lhe muito útil para acender o lustre sem ter de subir em uma escada.

Então o salão iluminava-se, pois antes do jantar e nos dias comuns, éramos sempre recebidos no dormitório da senhora Nodier; então o salão iluminava-se e revelava lambris pintados de branco com molduras Luís XV, um mobiliário dos mais simples, que era composto de doze poltronas e de um canapé em casimira vermelha, de cortinas xadrez da mesma cor, de um busto de Hugo, de uma estátua de Henrique IV, de um retrato de Nodier e de uma paisagem alpestre de Régnier.

Naquele salão, cinco minutos após estar iluminado, entravam os convivas, Nodier chegando por último, apoiado no braço de Duzats, no de Bixio, no de Francis Wey, ou no meu, Nodier sempre suspirando e reclamando como se não tivesse fôlego; então jogava-se numa poltrona grande à direita da lareira, as pernas esticadas, os braços pendurados, ou ficava de pé junto à moldura da lareira, as barrigas das pernas perto do fogo, de costas para o espelho.

Quando se recostava na poltrona, não era preciso dizer mais nada: mergulhado naquele instante de beatitude proporcionado pelo café, Nodier queria usufrui-lo como egoísta de si mesmo e acompanhar em silêncio o sonho de sua mente; quando se encostava junto à lareira, era outra coisa: ia contar uma história; então todos se calavam, então desenrolava-se uma daquelas histórias encantadoras de sua juventude que parecem um romance de Longu, um idílio de Teócrito; ou algum drama sombrio da Revolução, cujo palco era sempre um campo de batalha da Vendéia ou a place de la Révolution; ou, finalmente, alguma conspiração misteriosa de Cadoudal ou de Oudet, de Staps ou de Lahorie; então os que entravam permaneciam em silêncio, cumprimentavam com a mão e iam sentar-se em uma poltrona ou encostar-se nos lambris; em seguida, a história acabava como todas as coisas acabam. Não se aplaudia; não mais do que se aplaude o murmúrio de um rio, o canto de um pássaro; porém, apagado o murmúrio, porém, desaparecido o canto, continuava-se a ouvir. Então Marie, sem nada dizer, sentava-se ao piano e, de repente, um brilhante jorro de notas lançava-se pelos ares como o prelúdio de fogos de artifício; então os jogadores, relegados aos cantos, sentavam-se às mesas e jogavam.

O único jogo que Nodier jogava nos últimos tempos era *bataille**, era seu jogo favorito, e nele se considerava superior. Finalmente ele fizera uma concessão ao século e jogava o *écarté***.

Então Marie cantava palavras de Hugo, de Lamartine ou minhas, musicadas por ela; em seguida, em meio a essas melodias encantadoras, sempre curtas demais,

---

* Jogo de cartas com regras muito simples (as cartas são atiradas à mesa sucessivamente, e a mais alta ganha), em geral jogada a dois.

** Jogo de cartas em que cada jogador, se o adversário permitir, pode deixar de lado as cartas que não lhe convêm e pegar outras.

ouvia-se de repente eclodir o refrão de uma contradança, cada cavalheiro corria até sua dama, e começava um baile.

Baile encantador, assumido totalmente por Marie que lançava, no meio dos trinados rápidos bordados por seus dedos nas teclas do piano, uma palavra àqueles que dela se aproximavam a cada tipo de dança. Naquele momento, Nodier desaparecia, completamente esquecido, pois ele não era um daqueles senhores absolutos e rabugentos cuja presença se sente e cuja aproximação se adivinha; era um anfitrião da Antigüidade, que se apaga para ceder lugar aos convivas e que se contentava em ser amável, frágil e quase feminino.

Além disso, Nodier, depois de ter desaparecido por um tempo, logo desaparecia por completo. Nodier deitava-se cedo, ou melhor, deitavam Nodier cedo. Era a senhora Nodier a encarregada disso. No inverno, ela era a primeira a sair do salão; quando não havia brasas na cozinha, via-se um braseiro passar, encher-se e entrar no dormitório. Nodier acompanhava o braseiro e não era preciso dizer mais nada.

Dez minutos depois, a senhora Nodier voltava. Nodier estava deitado, adormecia com as melodias de sua filha e com o ruído do pisotear e dos risos dos dançarinos.

Um dia encontramos Nodier humilde de uma maneira bem diferente da de hábito. Desta feita estava embaraçado, envergonhado. Perguntamos a ele o que estava acontecendo.

Nodier acabara de ser nomeado para a Academia.

Desculpou-se com muita humildade perante Hugo e perante mim.

Mas não fora culpa sua, a Academia o nomeara no momento em que menos esperava.

É porque Nodier, mais erudito do que todos os acadêmicos juntos, demolia, pedra a pedra, o dicionário da Academia. Contava que o imortal encarregado de escrever o verbete *lagostim-do-rio* um dia mostrara-lhe o verbete pedindo-lhe sua opinião.

Este fora concebido nos seguintes termos:

"Lagostim-do-rio, peixinho vermelho que anda para trás."

– Só há um erro em sua definição – respondeu Nodier – é que o lagostim-do-rio não é um peixe, o lagostim-do-rio não é vermelho, o lagostim-do-rio não anda para trás... o resto está perfeito.

Esqueço de dizer que, em meio a tudo aquilo, Marie Nodier havia se casado, tornara-se a senhora Ménessier; porém aquele casamento em nada mudara a vida do Arsenal. Jules era amigo de todos; havia muito tempo freqüentava a casa; começou a residir nela em vez de ir até lá, só isso.

Engano meu, houve um grande sacrifício: Nodier vendeu sua biblioteca; Nodier amava seus livros, mas adorava Marie.

Deve-se também mencionar um outro fato: ninguém sabia fazer a fama de um livro como Nodier. Se queria vender ou provocar a venda de um livro, glorificava-o com um artigo: com o que descobria dentro dele, tornava-o um exemplar único. Lembro-me da história de um volume intitulado *O zumbi do grande Peru*, que Nodier pretendia que fora impresso nas colônias e do qual destruiu a edição com sua autoridade particular; o livro valia cinco francos, seu preço subiu para cem escudos.

Por quatro vezes Nodier vendeu seus livros, mas sempre conservava um certo fundo, um núcleo precioso, com a ajuda do qual, ao final de dois ou três anos, reconstituía sua biblioteca.

Um dia, todas essas festas encantadoras foram interrompidas.

Havia um ou dois meses, a saúde de Nodier vinha se deteriorando, ele queixava-se mais. De resto, o costume que tínhamos de ouvir Nodier se queixar fazia com que não prestássemos muita atenção aos seus lamentos. É que com o caráter de Nodier, era bem difícil separar o mal real dos sofrimentos quiméricos. Contudo, desta feita, estava ficando visivelmente mais fraco. Nada de passeios pelos cais, nada de passeios pelos bulevares, só uma caminhada lenta, quando o céu cinzento filtrava um último raio de sol de outono, uma lenta caminhada na direção de Saint-Mandé.

O objetivo da caminhada era um bar ordinário no qual, nos belos dias em que gozava de boa saúde, Nodier se regalava com pão preto. Em geral toda a família acompanhava-o, exceto Jules, retido no escritório. Iam a senhora Nodier, Marie, as duas crianças, Charles e Georgette; ninguém queria abandonar o marido, o pai, o avô. Sentiam que só lhes restava mais um tempo para ficar com ele e aproveitavam.

Até o último momento, Nodier insistiu nas conversas de domingo; depois, finalmente, percebemos que de seu quarto o doente não conseguia mais suportar o barulho e o movimento da sala. Um dia, Marie anunciou-nos com tristeza que no domingo seguinte o Arsenal estaria fechado. Depois, bem baixinho, disse aos íntimos:

– Venham, podemos conversar.

Nodier caiu de cama e nunca mais se levantou.

Fui visitá-lo.

– Oh, meu caro Dumas – disse-me estendendo os braços assim que me viu – na época em que eu estava bem, você só tinha um amigo em mim; desde que estou doente, tem um mim um homem grato. Não posso mais trabalhar, mas ainda posso ler e, como vê, leio você e, quando estou cansado, chamo minha filha, e minha filha lê você.

E Nodier mostrou-me efetivamente meus livros espalhados em sua cama e sua mesa.

Foi um de meus momentos de orgulho real. Nodier isolado do mundo, Nodier que não podia mais trabalhar, Nodier, esse espírito imenso que tudo sabia, Nodier lia a mim e divertia-se lendo a mim.

Peguei suas mãos, quis beijá-las de tanta gratidão.

Eu, por minha vez, lera na véspera uma coisa dele, um pequeno volume que acabara de ser publicado em dois números da *Revue des Deux Mondes*.

Era *Inès de Las Sierras*.

Fiquei maravilhado. Esse romance, uma das últimas publicações de Charles, tinha tanto frescor, tanta cor, que parecia uma obra de juventude que Nodier encontrara e atualizara no outro horizonte de sua vida.

A história de Inès era uma história de aparição de espectros, de fantasmas; só que, embora toda fantástica na primeira parte, deixava de sê-lo na segunda; o fim explicava o início. Oh, lamentei amargamente aquela explicação a Nodier.

– É verdade – disse-me ele – fiz mal; mas tenho outra história e esta não estragarei, fique tranqüilo.

– Ainda bem; quando você vai trabalhar nela?

Nodier pegou minha mão.

– Esta eu não vou estragar porque não vou ser eu a escrevê-la – disse ele.

– E quem vai escrevê-la?

– Você.

– Como? Eu, meu bom Charles? Mas eu não conheço a sua história.

– Vou contá-la a você. Oh, esta eu guardava para mim, ou melhor para você.

– Meu bom Charles, você vai me contá-la, você vai escrevê-la, você vai imprimi-la para mim.

Nodier balançou a cabeça.

– Vou contá-la para você – disse. – Você vai me devolvê-la se eu me recuperar.

– Espere minha próxima visita, temos tempo.

– Amigo, vou dizer-lhe o que dizia a um credor quando lhe pagava uma parcela: não deixe de aceitá-la.

E começou.

Jamais Nodier contou de maneira tão encantadora.

Oh, se eu tivesse uma pena, um papel, se eu pudesse escrever com tanta rapidez quanto a das palavras ditas!

A história era longa, fiquei para jantar.

Após o jantar, Nodier adormecera. Saí do Arsenal sem revê-lo.

Nunca mais o vi.

Nodier, que acreditávamos ser tão dado às queixas, escondera, ao contrário, até o último momento, seus sofrimentos da sua família. Quando se descobriu o ferimento, reconheceu-se que era mortal.

Nodier era não apenas cristão, mas um bom católico de fato. Fez Marie prometer-lhe que chamaria um padre quando chegasse a hora. A hora chegara, Marie mandou buscar o cura de Saint-Paul.

Nodier confessou. Pobre Nodier! Devia haver muitos pecados em sua vida, mas decerto não havia nenhum erro.

Terminada a confissão, toda a família entrou.

Nodier estava em uma alcova escura de onde estendeu os braços para a mulher, para a filha e para os netos.

Atrás da família estavam os criados.

Atrás dos criados, a biblioteca, ou seja, os amigos que jamais mudam, os livros.

O cura disse em voz alta as preces às quais Nodier respondeu também em voz alta, como homem familiarizado com a liturgia cristã. Depois, encerradas as preces, abraçou a todos, tranqüilizou a todos sobre seu estado, afirmou que ainda sentia vida por um ou dois dias, principalmente se o deixassem dormir por algumas horas.

Deixaram Nodier sozinho, e ele dormiu cinco horas.

A 26 de janeiro à noite, ou seja, na véspera de sua morte, a febre aumentou e produziu um certo delírio; por volta da meia-noite, não reconhecia ninguém, sua boca pronunciava palavras soltas nas quais se distinguiam os nomes de Tácito e de Fénelon.

Por volta das duas horas, a morte começou a bater à porta: Nodier foi abalado por uma crise violenta, sua filha estava inclinada à sua cabeceira e estendia-lhe uma xícara cheia de uma poção calmante; ele abriu os olhos, contemplou Marie e reconheceu-a por suas lágrimas; então tomou a xícara de suas mãos e bebeu com avidez a beberagem que continha.

– Você achou bom? – perguntou Marie.

– Oh, claro, minha filha, como tudo o que vem de você.

E a pobre Marie deixou a cabeça cair na cabeceira do leito, cobrindo com seus cabelos a fronte úmida do moribundo.

– Oh, se você ficasse assim – murmurou Nodier – jamais eu morreria.*

A morte continuava a bater.

As extremidades começavam a esfriar; porém, à medida que a vida tornava a subir, concentrava-se no cérebro e dava a Nodier um espírito mais lúcido do que jamais tivera.

Então abençoou mulher e filhos e perguntou qual era o dia do mês.

– 27 de janeiro – disse a senhora Nodier.

– Vocês jamais esquecerão essa data, não é, meus caros? – disse Nodier.

Em seguida, voltando-se para a janela.

– Gostaria de ver o dia mais uma vez – suspirou.

Depois adormeceu.

Depois sua respiração tornou-se intermitente.

Depois, afinal, quando o primeiro raio do dia atingiu os vidros, tornou a abrir os olhos, com o olhar fez um sinal de adeus e expirou.

---

* Francis Wey publicou uma análise muito interessante sobre os últimos momentos de Nodier, porém escrita para os amigos e da qual saíram apenas vinte e cinco exemplares.

Com Nodier, tudo morreu no Arsenal, alegria, vida e luz; todos ficamos de luto; cada um perdia uma porção de si ao perder Nodier.

Quanto a mim, não sei como dizer isso, mas tenho algo morto em mim desde que Nodier morreu.

Esse algo só revive quando falo de Nodier.

Por isso falo tanto dele.

A história que o leitor leu é a que Nodier me contou.

Coleção **L&PM** POCKET (LANÇAMENTOS MAIS RECENTES)

446.**Contos** – Eça de Queiroz
447.**Janela para a morte** – Raymond Chandler
448.**Um amor de Swann** – Marcel Proust
449.**À paz perpétua** – Immanuel Kant
450.**A conquista do México** – Hernan Cortez
451.**Defeitos escolhidos e 2000** – Pablo Neruda
452.**O casamento do céu e do inferno** – William Blake
453.**A primeira viagem ao redor do mundo** – Antonio Pigafetta
454(14).**Uma sombra na janela** – Simenon
455(15).**A noite da encruzilhada** – Simenon
456(16).**A velha senhora** – Simenon
457.**Sartre** – Annie Cohen-Solal
458.**Discurso do método** – René Descartes
459.**Garfield em grande forma (1)** – Jim Davis
460.**Garfield está de dieta** (2) – Jim Davis
461.**O livro das feras** – Patricia Highsmith
462.**Viajante solitário** – Jack Kerouac
463.**Auto da barca do inferno** – Gil Vicente
464.**O livro vermelho dos pensamentos de Millôr** – Millôr Fernandes
465.**O livro dos abraços** – Eduardo Galeano
466.**Voltaremos!** – José Antonio Pinheiro Machado
467.**Rango** – Edgar Vasques
468(8).**Dieta mediterrânea** – Dr. Fernando Lucchese e José Antonio Pinheiro Machado
469.**Radicci 5** – Iotti
470.**Pequenos pássaros** – Anaïs Nin
471.**Guia prático do Português correto – vol.3** – Cláudio Moreno
472.**Atire no pianista** – David Goodis
473.**Antologia Poética** – García Lorca
474.**Alexandre e César** – Plutarco
475.**Uma espiã na casa do amor** – Anaïs Nin
476.**A gorda do Tiki Bar** – Dalton Trevisan
477.**Garfield um gato de peso (3)** – Jim Davis
478.**Canibais** – David Coimbra
479.**A arte de escrever** – Arthur Schopenhauer
480.**Pinóquio** – Carlo Collodi
481.**Misto-quente** – Bukowski
482.**A lua na sarjeta** – David Goodis
483.**O melhor do Recruta Zero (1)** – Mort Walker
484.**Aline: TPM – tensão pré-monstrual (2)** – Adão Iturrusgarai
485.**Sermões do Padre Antonio Vieira**
486.**Garfield numa boa (4)** – Jim Davis
487.**Mensagem** – Fernando Pessoa
488.**Vendeta** *seguido de* **A paz conjugal** – Balzac
489.**Poemas de Alberto Caeiro** – Fernando Pessoa
490.**Ferragus** – Honoré de Balzac
491.**A duquesa de Langeais** – Honoré de Balzac
492.**A menina dos olhos de ouro** – Honoré de Balzac
493.**O lírio do vale** – Honoré de Balzac
494(17).**A barcaça da morte** – Simenon
495(18).**As testemunhas rebeldes** – Simenon
496(19).**Um engano de Maigret** – Simenon
497(1).**A noite das bruxas** – Agatha Christie
498(2).**Um passe de mágica** – Agatha Christie
499(3).**Nêmesis** – Agatha Christie
500.**Esboço para uma teoria das emoções** – Sartre
501.**Renda básica de cidadania** – Eduardo Suplicy
502(1).**Pílulas para viver melhor** – Dr. Lucchese
503(2).**Pílulas para prolongar a juventude** – Dr. Lucchese
504(3).**Desembarcando o diabetes** – Dr. Lucchese
505(4).**Desembarcando o sedentarismo** – Dr. Fernando Lucchese e Cláudio Castro
506(5).**Desembarcando a hipertensão** – Dr. Lucchese
507(6).**Desembarcando o colesterol** – Dr. Fernando Lucchese e Fernanda Lucchese
508.**Estudos de mulher** – Balzac
509.**O terceiro tira** – Flann O'Brien
510.**100 receitas de aves e ovos** – J. A. P. Machado
511.**Garfield em toneladas de diversão** (5) – Jim Davis
512.**Trem-bala** – Martha Medeiros
513.**Os cães ladram** – Truman Capote
514.**O Kama Sutra de Vatsyayana**
515.**O crime do Padre Amaro** – Eça de Queiroz
516.**Odes de Ricardo Reis** – Fernando Pessoa
517.**O inverno da nossa desesperança** – Steinbeck
518.**Piratas do Tietê (1)** – Laerte
519.**Rê Bordosa: do começo ao fim** – Angeli
520.**O Harlem é escuro** – Chester Himes
521.**Café-da-manhã dos campeões** – Kurt Vonnegut
522.**Eugénie Grandet** – Balzac
523.**O último magnata** – F. Scott Fitzgerald
524.**Carol** – Patricia Highsmith
525.**100 receitas de patisseria** – Sílvio Lancellotti
526.**O fator humano** – Graham Greene
527.**Tristessa** – Jack Kerouac
528.**O diamante do tamanho do Ritz** – S. Fitzgerald
529.**As melhores histórias de Sherlock Holmes** – Arthur Conan Doyle
530.**Cartas a um jovem poeta** – Rilke
531(20).**Memórias de Maigret** – Simenon
532(4).**O misterioso sr. Quin** – Agatha Christie
533.**Os analectos** – Confúcio
534(21).**Maigret e os homens de bem** – Simenon
535(22).**O medo de Maigret** – Simenon
536.**Ascensão e queda de César Birotteau** – Balzac
537.**Sexta-feira negra** – David Goodis
538.**Ora bolas – O humor de Mario Quintana** – Juarez Fonseca
539.**Longe daqui aqui mesmo** – Antonio Bivar
540(5).**É fácil matar** – Agatha Christie
541.**O pai Goriot** – Balzac
542.**Brasil, um país do futuro** – Stefan Zweig
543.**O processo** – Kafka
544.**O melhor de Hagar 4** – Dik Browne
545(6).**Por que não pediram a Evans?** – Agatha Christie
546.**Fanny Hill** – John Cleland
547.**O gato por dentro** – William S. Burroughs
548.**Sobre a brevidade da vida** – Sêneca
549.**Geraldão (1)** – Glauco
550.**Piratas do Tietê (2)** – Laerte
551.**Pagando o pato** – Ciça
552.**Garfield de bom humor (6)** – Jim Davis
553.**Conhece o Mário?** vol.1 – Santiago

554.**Radicci 6** – Iotti
555.**Os subterrâneos** – Jack Kerouac
556(1).**Balzac** – François Taillandier
557(2).**Modigliani** – Christian Parisot
558(3).**Kafka** – Gérard-Georges Lemaire
559(4).**Júlio César** – Joël Schmidt
560.**Receitas da família** – J. A. Pinheiro Machado
561.**Boas maneiras à mesa** – Celia Ribeiro
562(9).**Filhos sadios, pais felizes** – R. Pagnoncelli
563(10).**Fatos & mitos** – Dr. Fernando Lucchese
564.**Ménage à trois** – Paula Taitelbaum
565.**Mulheres!** – David Coimbra
566.**Poemas de Álvaro de Campos** – Fernando Pessoa
567.**Medo e outras histórias** – Stefan Zweig
568.**Snoopy e sua turma (1)** – Schulz
569.**Piadas para sempre (1)** – Visconde da Casa Verde
570.**O alvo móvel** – Ross Macdonald
571.**O melhor do Recruta Zero (2)** – Mort Walker
572.**Um sonho americano** – Norman Mailer
573.**Os broncos também amam** – Angeli
574.**Crônica de um amor louco** – Bukowski
575(5).**Freud** – René Major e Chantal Talagrand
576(6).**Picasso** – Gilles Plazy
577(7).**Gandhi** – Christine Jordis
578.**A tumba** – H. P. Lovecraft
579.**O príncipe e o mendigo** – Mark Twain
580.**Garfield, um charme de gato (7)** – Jim Davis
581.**Ilusões perdidas** – Balzac
582.**Esplendores e misérias das cortesãs** – Balzac
583.**Walter Ego** – Angeli
584.**Striptiras (1)** – Laerte
585.**Fagundes: um puxa-saco de mão cheia** – Laerte
586.**Depois do último trem** – Josué Guimarães
587.**Ricardo III** – Shakespeare
588.**Dona Anja** – Josué Guimarães
589.**24 horas na vida de uma mulher** – Stefan Zweig
590.**O terceiro homem** – Graham Greene
591.**Mulher no escuro** – Dashiell Hammett
592.**No que acredito** – Bertrand Russell
593.**Odisséia (1): Telemaquia** – Homero
594.**O cavalo cego** – Josué Guimarães
595.**Henrique V** – Shakespeare
596.**Fabulário geral do delírio cotidiano** – Bukowski
597.**Tiros na noite 1: A mulher do bandido** – Dashiell Hammett
598.**Snoopy em Feliz Dia dos Namorados! (2)** – Schulz
599.**Mas não se matam cavalos?** – Horace McCoy
600.**Crime e castigo** – Dostoiévski
601(7).**Mistério no Caribe** – Agatha Christie
602.**Odisséia (2): Regresso** – Homero
603.**Piadas para sempre (2)** – Visconde da Casa Verde
604.**À sombra do vulcão** – Malcolm Lowry
605(8).**Kerouac** – Yves Buin
606.**E agora são cinzas** – Angeli
607.**As mil e uma noites** – Paulo Caruso
608.**Um assassino entre nós** – Ruth Rendell
609.**Crack-up** – F. Scott Fitzgerald
610.**Do amor** – Stendhal
611.**Cartas do Yage** – William Burroughs e Allen Ginsberg
612.**Striptiras (2)** – Laerte
613.**Henry & June** – Anaïs Nin
614.**A piscina mortal** – Ross Macdonald
615.**Geraldão (2)** – Glauco
616.**Tempo de delicadeza** – A. R. de Sant'Anna
617.**Tiros na noite 2: Medo de tiro** – Dashiell Hammett
618.**Snoopy em Assim é a vida, Charlie Brown! (3)** – Schulz
619.**1954 – Um tiro no coração** – Hélio Silva
620.**Sobre a inspiração poética (Íon)** e ... – Platão
621.**Garfield e seus amigos (8)** – Jim Davis
622.**Odisséia (3): Ítaca** – Homero
623.**A louca matança** – Chester Himes
624.**Factótum** – Bukowski
625.**Guerra e Paz: volume 1** – Tolstói
626.**Guerra e Paz: volume 2** – Tolstói
627.**Guerra e Paz: volume 3** – Tolstói
628.**Guerra e Paz: volume 4** – Tolstói
629(9).**Shakespeare** – Claude Mourthé
630.**Bem está o que bem acaba** – Shakespeare
631.**O contrato social** – Rousseau
632.**Geração Beat** – Jack Kerouac
633.**Snoopy: É Natal! (4)** – Charles Schulz
634(8).**Testemunha da acusação** – Agatha Christie
635.**Um elefante no caos** – Millôr Fernandes
636.**Guia de leitura (100 autores que você precisa ler)** – Organização de Léa Masina
637.**Pistoleiros também mandam flores** – David Coimbra
638.**O prazer das palavras** – vol. 1 – Cláudio Moreno
639.**O prazer das palavras** – vol. 2 – Cláudio Moreno
640.**Novíssimo testamento: com Deus e o diabo, a dupla da criação** – Iotti
641.**Literatura Brasileira: modos de usar** – Luís Augusto Fischer
642.**Dicionário de Porto-Alegrês** – Luís A. Fischer
643.**Clô Dias & Noites** – Sérgio Jockymann
644.**Memorial de Isla Negra** – Pablo Neruda
645.**Um homem extraordinário e outras histórias** – Tchékhov
646.**Ana sem terra** – Alcy Cheuiche
647.**Adultérios** – Woody Allen
648.**Para sempre ou nunca mais** – R. Chandler
649.**Nosso homem em Havana** – Graham Greene
650.**Dicionário Caldas Aulete de Bolso**
651.**Snoopy: Posso fazer uma pergunta, professora? (5)** – Charles Schulz
652(10).**Luís XVI** – Bernard Vincent
653.**O mercador de Veneza** – Shakespeare
654.**Cancioneiro** – Fernando Pessoa
655.**Non-Stop** – Martha Medeiros
656.**Carpinteiros, levantem bem alto a cumeeira & Seymour, uma apresentação** – J.D.Salinger
657.**Ensaios céticos** – Bertrand Russell
658.**O melhor de Hagar 5** – Dik e Chris Browne
659.**Primeiro amor** – Ivan Turguêniev
660.**A trégua** – Mario Benedetti
661.**Um parque de diversões da cabeça** – Lawrence Ferlinghetti
662.**Aprendendo a viver** – Sêneca
663.**Garfield, um gato em apuros (9)** – Jim Davis
664.**Dilbert 1** – Scott Adams
665.**Dicionário de dificuldades** – Domingos Paschoal Cegalla

666.**A imaginação** – Jean-Paul Sartre
667.**O ladrão e os cães** – Naguib Mahfuz
668.**Gramática do português contemporâneo** – Celso Cunha
669.**A volta do parafuso** *seguido de* **Daisy Miller** – Henry James
670.**Notas do subsolo** – Dostoiévski
671.**Abobrinhas da Brasilônia** – Glauco
672.**Geraldão (3)** – Glauco
673.**Piadas para sempre (3)** – Visconde da Casa Verde
674.**Duas viagens ao Brasil** – Hans Staden
675.**Bandeira de bolso** – Manuel Bandeira
676.**A arte da guerra** – Maquiavel
677.**Além do bem e do mal** – Nietzsche
678.**O coronel Chabert** *seguido de* **A mulher abandonada** – Balzac
679.**O sorriso de marfim** – Ross Macdonald
680.**100 receitas de pescados** – Sílvio Lancellotti
681.**O juiz e seu carrasco** – Friedrich Dürrenmatt
682.**Noites brancas** – Dostoiévski
683.**Quadras ao gosto popular** – Fernando Pessoa
684.**Romanceiro da Inconfidência** – Cecília Meireles
685.**Kaos** – Millôr Fernandes
686.**A pele de onagro** – Balzac
687.**As ligações perigosas** – Choderlos de Laclos
688.**Dicionário de matemática** – Luiz Fernandes Cardoso
689.**Os Lusíadas** – Luís Vaz de Camões
690(11).**Átila** – Éric Deschodt
691.**Um jeito tranqüilo de matar** – Chester Himes
692.**A felicidade conjugal** *seguido de* **O diabo** – Tolstói
693.**Viagem de um naturalista ao redor do mundo** – vol. 1 – Charles Darwin
694.**Viagem de um naturalista ao redor do mundo** – vol. 2 – Charles Darwin
695.**Memórias da casa dos mortos** – Dostoiévski
696.**A Celestina** – Fernando de Rojas
697.**Snoopy: Como você é azarado, Charlie Brown! (6)** – Charles Schulz
698.**Dez (quase) amores** – Claudia Tajes
699(9).**Poirot sempre espera** – Agatha Christie
700.**Cecília de bolso** – Cecília Meireles
701.**Apologia de Sócrates** *precedido de* **Êutifron** e *seguido de* **Críton** – Platão
702.**Wood & Stock** – Angeli
703.**Striptiras (3)** – Laerte
704.**Discurso sobre a origem e os fundamentos da desigualdade entre os homens** – Rousseau
705.**Os duelistas** – Joseph Conrad
706.**Dilbert (2)** – Scott Adams
707.**Viver e escrever** (vol. 1) – Edla van Steen
708.**Viver e escrever** (vol. 2) – Edla van Steen
709.**Viver e escrever** (vol. 3) – Edla van Steen
710(10).**A teia da aranha** – Agatha Christie
711.**O banquete** – Platão
712.**Os belos e malditos** – F. Scott Fitzgerald
713.**Libelo contra a arte moderna** – Salvador Dalí
714.**Akropolis** – Valerio Massimo Manfredi
715.**Devoradores de mortos** – Michael Crichton
716.**Sob o sol da Toscana** – Frances Mayes
717.**Batom na cueca** – Nani
718.**Vida dura** – Claudia Tajes
719.**Carne trêmula** – Ruth Rendell
720.**Cris, a fera** – David Coimbra
721.**O anticristo** – Nietzsche
722.**Como um romance** – Daniel Pennac
723.**Emboscada no Forte Bragg** – Tom Wolfe
724.**Assédio sexual** – Michael Crichton
725.**O espírito do Zen** – Alan W.Watts
726.**Um bonde chamado desejo** – Tennessee Williams
727.**Como gostais** *seguido de* **Conto de inverno** – Shakespeare
728.**Tratado sobre a tolerância** – Voltaire
729.**Snoopy: Doces ou travessuras? (7)** – Charles Schulz
730.**Cardápios do Anonymus Gourmet** – J.A. Pinheiro Machado
731.**100 receitas com lata** – J.A. Pinheiro Machado
732.**Conhece o Mário?** vol.2 – Santiago
733.**Dilbert (3)** – Scott Adams
734.**História de um louco amor** *seguido de* **Passado amor** – Horacio Quiroga
735(11).**Sexo: muito prazer** – Laura Meyer da Silva
736(12).**Para entender o adolescente** – Dr. Ronald Pagnoncelli
737(13).**Desembarcando a tristeza** – Dr. Fernando Lucchese
738.**Poirot e o mistério da arca espanhola & outras histórias** – Agatha Christie
739.**A última legião** – Valerio Massimo Manfredi
740.**As virgens suicidas** – Jeffrey Eugenides
741.**Sol nascente** – Michael Crichton
742.**Duzentos ladrões** – Dalton Trevisan
743.**Os devaneios do caminhante solitário** – Rousseau
744.**Garfield, o rei da preguiça (10)** – Jim Davis
745.**Os magnatas** – Charles R. Morris
746.**Pulp** – Charles Bukowski
747.**Enquanto agonizo** – William Faulkner
748.**Aline: viciada em sexo (3)** – Adão Iturrusgarai
749.**A dama do cachorrinho** – Anton Tchékhov
750.**Tito Andrônico** – Shakespeare
751.**Antologia poética** – Anna Akhmátova
752.**O melhor de Hagar 6** – Dik e Chris Browne
753(12).**Michelangelo** – Nadine Sautel
754.**Dilbert (4)** – Scott Adams
755.**O jardim das cerejeiras** *seguido de* **Tio Vânia** – Tchékhov
756.**Geração Beat** – Claudio Willer
757.**Santos Dumont** – Alcy Cheuiche
758.**Budismo** – Claude B. Levenson
759.**Cleópatra** – Christian-Georges Schwentzel
760. **Revolução Francesa** – Frédéric Bluche, Stéphane Rials e Jean Tulard
761.**A crise de 1929** – Bernard Gazier
762.**Sigmund Freud** – Edson Sousa e Paulo Endo
763.**Império Romano** – Patrick Le Roux
764.**Cruzadas** – Cécile Morrisson
765.**O mistério do Trem Azul** – Agatha Christie
766.**Os escrúpulos de Maigret** – Simenon
767.**Maigret se diverte** – Simenon
768.**Senso comum** – Thomas Paine
769.**O parque dos dinossauros** – Michael Crichton
770.**Trilogia da paixão** – Goethe

771.**A simples arte de matar** (vol.1) – R. Chandler
772.**A simples arte de matar** (vol.2) – R. Chandler
773.**Snoopy: No mundo da lua! (8)** – Charles Schulz
774.**Os Quatro Grandes** – Agatha Christie
775.**Um brinde de cianureto** – Agatha Christie
776.**Súplicas atendidas** – Truman Capote
777.**Ainda restam aveleiras** – Simenon
778.**Maigret e o ladrão preguiçoso** – Simenon
779.**A viúva imortal** – Millôr Fernandes
780.**Cabala** – Roland Goetschel
781.**Capitalismo** – Claude Jessua
782.**Mitologia grega** – Pierre Grimal
783.**Economia: 100 palavras-chave** – Jean-Paul Betbèze
784.**Marxismo** – Henri Lefebvre
785.**Punição para a inocência** – Agatha Christie
786.**A extravagância do morto** – Agatha Christie
787(13).**Cézanne** – Bernard Fauconnier
788.**A identidade Bourne** – Robert Ludlum
789.**Da tranquilidade da alma** – Sêneca
790.**Um artista da fome** *seguido de* **Na colônia penal e outras histórias** – Kafka
791.**Histórias de fantasmas** – Charles Dickens
792.**A louca de Maigret** – Simenon
793.**O amigo de infância de Maigret** – Simenon
794.**O revólver de Maigret** – Simenon
795.**A fuga do sr. Monde** – Simenon
796.**O Uraguai** – Basílio da Gama
797.**A mão misteriosa** – Agatha Christie
798.**Testemunha ocular do crime** – Agatha Christie
799.**Crepúsculo dos ídolos** – Friedrich Nietzsche
800.**Maigret e o negociante de vinhos** – Simemon
801.**Maigret e o mendigo** – Simenon
802.**O grande golpe** – Dashiell Hammett
803.**Humor barra pesada** – Nani
804.**Vinho** – Jean-François Gautier
805.**Egito Antigo** – Sophie Desplancques
806(14).**Baudelaire** – Jean-Baptiste Baronian
807.**Caminho da sabedoria, caminho da paz** – Dalai Lama e Felizitas von Schönborn
808.**Senhor e servo e outras histórias** – Tolstói
809.**Os cadernos de Malte Laurids Brigge** – Rilke
810.**Dilbert (5)** – Scott Adams
811.**Big Sur** – Jack Kerouac
812.**Seguindo a correnteza** – Agatha Christie
813.**O álibi** – Sandra Brown
814.**Montanha-russa** – Martha Medeiros
815.**Coisas da vida** – Martha Medeiros
816.**A cantada infalível** *seguido de* **A mulher do centroavante** – David Coimbra
817.**Maigret e os crimes do cais** – Simenon
818.**Sinal vermelho** – Simenon
819.**Snoopy: Pausa para a soneca (9)** – Charles Schulz
820.**De pernas pro ar** – Eduardo Galeano
821.**Tragédias gregas** – Pascal Thiercy
822.**Existencialismo** – Jacques Colette
823.**Nietzsche** – Jean Granier
824.**Amar ou depender?** – Walter Riso
825.**Darmapada: A doutrina budista em versos**
826.**J'Accuse...! – a verdade em marcha** – Zola
827.**Os crimes ABC** – Agatha Christie
828.**Um gato entre os pombos** – Agatha Christie
829.**Maigret e o sumiço do sr. Charles** – Simenon
830.**Maigret e a morte do jogador** – Simenon
831.**Dicionário de teatro** – Luiz Paulo Vasconcellos
832.**Cartas extraviadas** – Martha Medeiros
833.**A longa viagem de prazer** – J. J. Morosoli
834.**Receitas fáceis** – J. A. Pinheiro Machado
835.(14).**Mais fatos & mitos** – Dr. Fernando Lucchese
836.(15).**Boa viagem!** – Dr. Fernando Lucchese
837.**Aline: Finalmente nua!!!** (4) – Adão Iturrusgarai
838.**Mônica tem uma novidade!** – Mauricio de Sousa
839.**Cebolinha em apuros!** – Mauricio de Sousa
840.**Sócios no crime** – Agatha Christie
841.**Bocas do tempo** – Eduardo Galeano
842.**Orgulho e preconceito** – Jane Austen
843.**Impressionismo** – Dominique Lobstein
844.**Escrita chinesa** – Viviane Alleton
845.**Paris: uma história** – Yvan Combeau
846(15).**Van Gogh** – David Haziot
847.**Maigret e o corpo sem cabeça** – Simenon
848.**Portal do destino** – Agatha Christie
849.**O futuro de uma ilusão** – Freud
850.**O mal-estar na cultura** – Freud
851.**Maigret e o matador** – Simenon
852.**Maigret e o fantasma** – Simenon
853.**Um crime adormecido** – Agatha Christie
854.**Satori em Paris** – Jack Kerouac
855.**Medo e delírio em Las Vegas** – Hunter Thompson
856.**Um negócio fracassado e outros contos de humor** – Tchékhov
857.**Mônica está de férias!** – Mauricio de Sousa
858.**De quem é esse coelho?** – Mauricio de Sousa
859.**O burgomestre de Furnes** – Simenon
860.**O mistério Sittaford** – Agatha Christie
861.**Manhã transfigurada** – Luiz Antonio de Assis Brasil
862.**Alexandre, o Grande** – Pierre Briant
863.**Jesus** – Charles Perrot
864.**Islã** – Paul Balta
865.**Guerra da Secessão** – Farid Ameur
866.**Um rio que vem da Grécia** – Cláudio Moreno
867.**Maigret e os colegas americanos** – Simenon
868.**Assassinato na casa do pastor** – Agatha Christie
869.**Manual do líder** – Napoleão Bonaparte
870(16).**Billie Holiday** – Sylvia Fol
871.**Bidu arrasando!** – Mauricio de Sousa
872.**Desventuras em família** – Mauricio de Sousa
873.**Liberty Bar** – Simenon
874.**E no final a morte** – Agatha Christie
875.**Guia prático do Português correto – vol. 4** – Cláudio Moreno
876.**Dilbert (6)** – Scott Adams
877(17).**Leonardo da Vinci** – Sophie Chauveau
878.**Bella Toscana** – Frances Mayes
879.**A arte da ficção** – David Lodge
880.**Striptiras (4)** – Laerte
881.**Skrotinhos** – Angeli
882.**Depois do funeral** – Agatha Christie
883.**Radicci 7** – Iotti
884.**Walden** – H. D. Thoreau
885.**Lincoln** – Allen C. Guelzo
886.**Primeira Guerra Mundial** – Michael Howard
887.**A linha de sombra** – Joseph Conrad
888.**O amor é um cão dos diabos** – Bukowski

IMPRESSÃO:

GRÁFICA EDITORA
Pallotti
IMAGEM DE QUALIDADE

Santa Maria - RS - Fone/Fax: (55) 3220.4500
www.pallotti.com.br